PEDRO BANDEIRA

A droga do amor

4ª EDIÇÃO

1ª edição 1994
2ª edição 2003
3ª edição 2009

COORDENAÇÃO EDITORIAL Maristela Petrili de Almeida Leite
EDIÇÃO DE TEXTO Marília Mendes
COORDENAÇÃO DE EDIÇÃO DE ARTE/CAPA Camila Fiorenza
ILUSTRAÇÃO DE MIOLO Hector Gómez
ILUSTRAÇÃO DE CAPA Jefferson Costa
COORDENAÇÃO DE REVISÃO Elaine Cristina del Nero
REVISÃO Duna Dueto Editora Ltda., Elaine Cristina del Nero
COORDENAÇÃO DE *BUREAU* Américo Jesus
PRÉ-IMPRESSÃO Helio P. de Souza Filho, Marcio H. Kamoto, Everton Luis de Oliveira
COORDENAÇÃO DE PRODUÇÃO INDUSTRIAL Wilson Aparecido Troque
IMPRESSÃO E ACABAMENTO Esdeva Indústria Gráfica Ltda.
Lote: 788241
Cód.: 12095796

Dados Internacionais de Catalogação na Publicação (CIP)
(Câmara Brasileira do Livro, SP, Brasil)

Bandeira, Pedro
A droga do amor / Pedro Bandeira.
4. ed. — São Paulo : Moderna, 2014. — (Série Os Karas)

ISBN 978-85-16-09579-6

1. Literatura infantojuvenil I. Título. II. Série.

14-05754 CDD-028.5

Índices para catálogo sistemático:
1. Literatura infantojuvenil 028.5
2. Literatura juvenil 028.5

EDITORA MODERNA LTDA.
Rua Padre Adelino, 758 - Belenzinho
São Paulo - SP - Brasil - CEP 03303-904
Vendas e Atendimento: Tel. (11) 2790-1300
www.modernaliteratura.com.br
2024
Impresso no Brasil

Para Vanessa Cristina Haneda, de Curitiba.

SUMÁRIO

1. Telegrama em "islandês"

Magrí acordou e espreguiçou-se gostosamente, ainda aconchegadinha sob as cobertas do luxuoso hotel. A perfeita calefação do apartamento amornava o ambiente, deixando lá fora o gelado inverno americano.

Entre seus braços, aquecido por toda uma noite junto ao calor de seu corpo, estava o seu ursinho de pelúcia. Já era um velho ursinho, da idade dela, mas a menina ainda dormia com ele. Era um segredo seu. Imaginem se um dos Karas soubesse disso! Uma aluna do primeiro ano do ensino médio dormindo abraçada a um ursinho, como se ainda fosse criança.

Sobre a mesa de cabeceira, o relógio marcava seis horas. Magrí levantou-se, escondeu o ursinho na mala e abriu as cortinas.

Lá embaixo estava Nova Iorque, nublada, cinzenta, gelada, e a menina pensou no calor que já estaria fazendo no Brasil àquela mesma hora.

Sentiu saudades. Do país, da família, do Colégio Elite, de cada um dos Karas.

Os Karas! Os *seus* Karas! Miguel, Crânio, Calu, Chumbinho e... e ela! Os cinco Karas, aquela turma secreta de alunos do Colégio Elite que Miguel tinha reunido quase por brincadeira, pelo desejo de aventura, mas que acabara se envolvendo em investigações perigosíssimas, em riscos tremendos...

Magrí sorriu ao pensar que muitos policiais aposentam-se sem jamais se defrontar com algo parecido com os desafios que aqueles cinco adolescentes já haviam enfrentado.

Os cinco Karas! Saudades... Uma saudade diferente de cada um. Uma dessas saudades era especial. Era imensa.

* * *

A funcionária do *Cyber-café* sorriu ao espiar o texto do *e-mail* que um menino estava redigindo. Tocou em seu ombro e perguntou:

— Ei, garoto, o que quer dizer "minisgsais"?

Com o olhar mais cândido e inocente possível, o menino voltou-se e encarou a moça com um lindo sorriso:

— Desculpe, é que este é um texto em islandês... Quer dizer... hum... quer dizer "mamãe"...

E o menino apontou para o monitor do computador, onde estava escrito:

MINISGSAIS

VENTERNPOMBER UFTERSGOMBERLPOMBER.
KINISSINISR OMBERM TOMBERSAISGENTER

CHUFTERMBAISLHENTER

"Que língua maluca é esse tal de islandês...", pensava a funcionária, depois que o menino já tinha ido embora.

* * *

Como um furacão que chega sem avisar, uma mulher alta e magra entrou no apartamento de Magrí, empurrando um carrinho com um farto café da manhã americano que um garçom acabara de trazer.

— Bom dia, bom dia, bom dia, Magrí! O que esses americanos pensam? Que nós viemos do Brasil para fazer regime de engorda? Se você comer a metade do que tem nessa bandeja, é melhor mudar da ginástica olímpica para o sumô!

— Bom dia, dona Iolanda! — cumprimentou Magrí, sorrindo.

— Que bom que você já está de pé. Vamos, vamos, vamos! Você tem cinco minutos para tomar o seu *breakfast*. Só as frutas e o leite, hein? Ginástica olímpica é como balé. Meio quilo a mais e é desastre na certa! Depois uma ducha e vamos direto para o ginásio. Quero que você faça duas horas de aquecimento, antes de ensaiarmos mais uma vez. Lembre-se de que a prova final de ginástica de solo vai ser depois de amanhã. Vamos, vamos, vamos, menina!

Magrí suspirou. Sua treinadora e também professora de educação física do Colégio Elite era mesmo um furacão exigente, estafante para os atletas.

— Ainda mais com você, Magrí! — tinha se explicado no avião a professora, enquanto as duas viajavam para os Estados Unidos, onde a menina era a única brasileira inscrita para disputar o Campeonato Mundial de Ginástica Olímpica. — Nunca tive uma atleta como você. Você *vai* ganhar essa competição. Você *tem* de ganhar! No ano que vem são as Olimpíadas. E eu tenho certeza de que a medalha de ouro também será nossa! Quer dizer, sua... quer dizer, nossa mesmo, de todos os brasileiros!

Magrí lembrava-se dessas palavras de dona Iolanda, mesmo porque a professora a pressionava tanto nos treinamentos que ela não podia esquecer-se nem por um momento do que viera fazer em Nova Iorque: vencer o Campeonato Mundial de Ginástica Olímpica, competindo com as melhores atletas do mundo.

— Vai ser difícil, dona Iolanda. Como vou poder disputar com aquelas meninas? Principalmente contra aquela miudinha da Ucrânia... Ela é uma pluma. Vai voar sobre a quadra!

— Ora, ora, ora, Magrí! — cortou a professora, confiante. — Você foi arrasadora nas três provas até agora. Sua nota foi nove e noventa e nove no salto sobre o cavalo, nove e noventa e oito na trave e *dez* nas barras assimétricas! Daqui a dois dias vai ser a última prova: a ginástica de solo. Se você estiver concentrada, a vitória está no papo! Vamos lá: café e ducha. Volto em quinze minutos. Vamos, vamos, vamos!

Deixou a bandeja sobre a mesa e saiu. Um furacão.

Magrí tomou apenas dois goles do suco de laranja. Deixou cair a camisolinha no meio do quarto e correu nua para o chuveiro.

2. A Droga do Amor

Eram oito horas da manhã quando Miguel levantou-se da mesa do café.

O ano terminava, mas o rapaz não queria descanso. Tinha de manter-se ocupado, preparando a nova vida que, a partir de agora, estava decidido a levar. Inscrevera-se como monitor de uma colônia de férias para crianças e, naquela manhã, aprontava-se para uma reunião em que os monitores receberiam treinamento para a primeira temporada.

Sobre a mesa, passou os olhos pelas manchetes do jornal.

A DROGA DO AMOR VEM AO BRASIL

Dava orgulho: o Brasil tinha sido escolhido para sediar a parte final do mais importante projeto científico do mundo. Conhecido laboratório multinacional estava às vésperas de descobrir a cura para a praga do século.

O soro já demonstrara ser cem por cento eficiente nos testes *in vitro* e já fora testado em voluntários sadios para que se verificasse se apresentava algum grau de intolerância ao organismo humano. Tudo estava perfeito. O próximo passo seria o experimento com seres humanos infectados. Dos inúmeros países que tinham apresentado pacientes terminais voluntários para a experimentação, o escolhido tinha sido o Brasil. O chefe da equipe de cientistas desembarcaria brevemente em São Paulo.

A cura para a praga do século era a melhor notícia que o mundo poderia esperar. O Brasil estava nas manchetes e um jornalista criativo inventara o apelido "Droga do Amor" para o soro experimental, porque, se desse certo, aquela droga libertaria realmente o amor e o separaria da consequência da praga do século: a morte.

"Droga do Amor! Amor tem a ver com vida, não pode trazer a morte junto...", pensou o rapaz. "Que nome bem achado!"

Lembrou-se destas palavras do seu professor de biologia:

"Amor é vida, não é morte! Amor produz vida, traz a felicidade, move o mundo, não se pode destruí-lo!"

Empolgado, esperançoso, ele contara aos alunos que muitas doenças que vitimavam os amantes no passado já tinham sido vencidas pela ciência e que essa também seria derrotada.

Mas, ao entrar no chuveiro, o fim da praga do século não ocupava mais os pensamentos do ex-líder dos Karas.

Como um pesadelo do qual o rapazinho não conseguia desfazer-se, veio-lhe à lembrança a última reunião dos Karas e a dolorida lembrança de Magrí.

"Ah, Magrí, Magrí, Magrí... Como eu vou conseguir viver sem você ao meu lado? Você está em Nova Iorque... Quando voltar, será que vai compreender o que eu fiz? Vai entender *por que* eu fiz o que fiz?"

Ele tivera de agir antes que Magrí voltasse. Viver perto de Magrí, sem *ter* Magrí, para ele seria o fim. E ele sabia que o mesmo acontecia com Crânio, o mesmo acontecia com Calu.

Miguel lembrou-se de sua decisão. Não poderia ferir seus melhores amigos. Não poderia suportar a ideia de ver Calu e Crânio como rivais. O jeito tinha sido sair da disputa e nunca mais ver nenhum deles.

O jeito tinha sido dissolver a turma dos Karas.

E nunca mais ver Magrí...

O cheiro suave do sabonete lembrou-lhe o perfume do corpinho da única garota daquela turminha tão querida.

* * *

Um gostoso perfume de banho, de sabonete e de xampu envolveu o ambiente quando Magrí voltou ao quarto, enxugando-se.

O inverno nova-iorquino não entrava no apartamento muito bem aquecido do hotel, e o vapor do banho quente tornava tudo ainda mais aconchegante.

Na frente do espelho, acariciando lentamente os longos cabelos com a toalha felpuda, Magrí examinou-se.

"Bom, eu não engordei, mas já estou grande demais para a ginástica olímpica... Aquela ucraniana é uma anãzinha! E a azerbaijana? Parece um pássaro! Tem também a americana que... Ah, mas eu não posso decepcionar dona Iolanda..."

Ainda nua, Magrí sentia-se sensual, quentinha do banho, com um pouco de preguiça. Examinou-se. Imaginou-se. Lembrou-se dos Karas. Dos seus queridos Karas...

Ao lado, estava a bandeja do *breakfast*, abandonada. Café, leite, chocolate, ovos fritos e *bacon*, tudo já frio. Havia *grapefruit* e quatro bananas, as "chiquitas", muito raras e muito caras nos Estados Unidos. Uma delas muito pequena mesmo.

"Essa é o Chumbinho", pensou, rindo, ao lembrar-se do querido caçula dos Karas.

Mas os outros três... Miguel, Calu e Crânio. Ah, os três Karas! Os seus três Karas! Que saudades!

A ponta do seu dedinho tocou delicadamente cada uma das três bananas maiores.

"Qual deles? Ai, qual deles? Os três são tão... são tão... Eu devo decidir? Escolher? Como escolher? Crânio, ele é tão... Ai, Crânio! Mas Miguel... se não fosse ele, eu... E Calu? Ai, como você é lindo, Calu! Todos os três me querem, eu sei que me querem... Hummmm... eu queria agora sentir perto de mim *este* aqui..."

Magrí escolheu uma das bananas e, devagar, nua no meio do quarto, começou a descascá-la.

* * *

Calu espremeu o tubo de pasta de dentes sobre a escova. Levantou os olhos e encarou-se no espelho. A briga que dissolvera os Karas pesava demais.

"Mas foi melhor assim... Eu não aguentava mais."

Lembrou-se da reunião. A última reunião, no esconderijo secreto da turma dos Karas, o forro do vestiário do Colégio Elite.

Tudo deveria estar resolvido depois da briga. Mas, no fundo de sua alma, Calu sentia que nada estava resolvido.

"Os Karas não existem mais! E eu... ai, Magrí! Eu *ainda* não aguento..."

Calu fechou os olhos, como se, dentro das próprias pálpebras, estivesse vendo aquele rostinho:

"Eu amo você, Magrí... desesperadamente..."

Lá estava ele, no espelho, ouvindo suas próprias confissões.

"Como posso manter o equilíbrio perto dela? A gente vive se metendo nas maiores confusões, enfrentando perigos, e ela sempre ali, corajosa, alegre, carinhosa com todos nós, e eu..."

Seu rosto bonito refletia-se no espelho. Aquele rosto que derretia tantas garotas. Calu era um ator. Teatro, comerciais de televisão... as meninas o reconheciam a toda hora, olhavam para ele como se fosse algum deus do Olimpo. Não o enxergavam como pessoa, como gente. Tantas garotas que o cercavam, insinuando-se, cada uma querendo ficar com ele, pelo menos uma vez...

"Ficar? Ficar! Ficar com Magrí? Ah, com Magrí eu quero ficar, ser, estar, permanecer, parecer, continuar! *Viver* com ela! Não dá pra viver sem ela!"

Calu sentia-se só, mesmo sabendo que qualquer garota do Colégio Elite daria tudo para ficar com ele.

"Ficar com quem? Com o semideus que elas imaginam, que elas idealizam, mas que não sou eu? Ou ficar *comigo*, com a pessoa que eu sou, um ser humano, alguém de carne, osso e sangue, que tem seus momentos de fragilidade, que quer carinho, que tem carinho para dar? Elas só querem o ídolo... Mas Magrí é diferente. Ela sabe quem eu sou. Ela me conhece. Só ela poderia me compreender... Me acolher, como eu sou... Mas ela... Ah, Magrí!"

Uma lágrima quente, doída, escorreu pelo rosto do ator dos Karas.

* * *

A gaitinha estava muda. Crânio soprava-a tão delicadamente que a música só acontecia dentro do seu espírito.

Deitado na cama, não conseguia deixar de repassar na memória a última reunião dos Karas. Crânio tinha chegado bem antes da hora marcada e subira ao forro do vestiário do Colégio Elite, sozinho.

Para pensar. Pensar em Magrí. Pensar na saudade que sentia. E para concluir. Concluir que nada mais havia a fazer. A sensibilidade do gênio dos Karas lia, na expressão de Miguel, na expressão de Calu, o mesmo fogo que ele sentia queimar-lhe por dentro. E aqueles dois queridos amigos eram as duas últimas pessoas no mundo de quem ele gostaria de ter ciúme.

Mas como poderia suportar a ideia de Magrí ser de outro? Ainda que fosse de um daqueles dois amigos, mais queridos do que irmãos. Calu e Miguel! Sorriu amarelo, ao imaginar que pelo menos Chumbinho estaria fora. Chumbinho era ainda muito novo. Para ele, Magrí era apenas uma querida irmã mais velha.

"Magrí! Você ama a humanidade, ama Miguel, ama Chumbinho, ama Calu e sei que você me ama. Você daria a vida por qualquer um de nós. Mas, quanto a mim... Quanto a mim, ah! Você demonstra um carinho que... sei lá! É muito, mas não parece nem um pouquinho maior do que o carinho que você dedica a Miguel, a Calu ou a Chumbinho..."

Lembrou-se do que pensara antes daquela reunião decisiva:

"Não aguento! Não aguento mais! Tenho de acabar com tudo isso! Com tudo isso!"

Mas, agora, depois da reunião, depois que ele tinha agido para "acabar com tudo isso", a solução amargava-lhe a alma.

"Magrí..."

Crânio derramou suas lágrimas interiores na música muda que seu espírito compunha ao soprar inaudivelmente a gaitinha.

3. A fuga do pior dos bandidos

Miguel montou na bicicleta e começou a pedalar lentamente, saindo do portão da garagem para a rua. O local em que seriam feitos os treinos para monitor de acampamento era meio longe. Talvez meia hora de bicicleta.

"Cuidar da criançada! Ufa! Um monte de moleques mimados, cheios de vontades... Bom, preciso me ocupar nessas férias, senão vou ficar maluco!"

Pedalou sem vontade. Naquela marchinha, levaria uma hora para chegar. Pensava na discussão furiosa que o tinha levado àquela decisão. A pior decisão de sua vida... Mas a única que ele poderia tomar.

Uma decisão que tinha significado o fim da turma dos Karas.

A discussão... Miguel não se lembrava direito de como aqueles minutos horríveis tinham começado. Mas se lembrava perfeitamente de que, na hora, percebera que aquela era a sua oportunidade de acabar com tudo, de afastar para sempre o problema que o enlouquecia.

"Magrí... Como eu poderia disputar você com Calu? O menino mais bonito do Colégio Elite, o atorzinho paquerado por todas as meninas... E com Crânio? O aluno mais inteligente da história do colégio? Ah, que os dois briguem por Magrí. Eu não posso..."

A briga começara com Calu, quase uma briga mesmo, quase... E Crânio? Entrara na discussão como um incendiário, botando lenha na fogueira, dizendo coisas que... E Chumbinho! Ah, pobre Chumbinho! Como poderia ele entender o que aconteceu?

* * *

— Detetive Andrade! É com o senhor...

O gordo detetive pegou o fone estendido pelo guarda.

— Quem é?

— É o diretor da Penitenciária Estadual de Segurança Máxima.

Andrade nem pôde iniciar os cumprimentos de praxe que o telefonema de um diretor de penitenciária merecia. Foi interrompido antes de completar "boa tarde".

Apenas ouviu. E o que ouviu deixou-o gelado.

— Ele... *ele* conseguiu fugir?!

* * *

O ano estava no fim. Só compareciam ao Elite os alunos que tinham provas de recuperação. Não eram muitos, pois o Elite era um colégio especial, para estudantes também muito especiais.

Convocado para aquela que seria a última reunião dos Karas, Calu caminhou apressado para o vestiário. Suas notas já estavam fechadas muito antes, e quem o encontrasse no colégio o veria apenas como o diretor teatral do grêmio estudantil.

Sumiu no quartinho das vassouras e, ágil como um trapezista, pulou para o alçapão, desaparecendo na vastidão do forro de concreto, protegido de todas as vistas e de todos os ouvidos.

Crânio e Chumbinho já estavam sentados no forro, esperando. Magrí não viria. Estava nos Estados Unidos, para o Campeonato Mundial de Ginástica Olímpica.

Iluminados apenas pelas poucas telhas de vidro, que deixavam entrar um pouco de luz natural no forro, os três sentavam-se como budas, à espera de Miguel.

* * *

O detetive Andrade desligou o telefone, sem acreditar no que acabara de ouvir.

Seria um desastre para a sociedade se qualquer um dos prisioneiros, que eram fechados a sete chaves na Penitenciária de Segurança Máxima, conseguisse fugir. E, de todas aquelas feras humanas, um era o mais perigoso. Porque era o mais inteligente. E o mais amoral.

Andrade sabia. Tinha prendido aquele monstro inteligente, educado, culto, frio como uma navalha. Alguém para quem o crime era a razão de sua vida. Alguém que jamais tivera razões sociais, de pobreza ou ignorância, para escolher o crime. Aquele homem nascera com o crime no sangue. Ele era "o" mal.

Sua ação devastadora pretendia apenas o poder. Considerava lícito usar jovens como cobaias, sequestrar e assassinar, no seu sonho louco de controlar as vontades. O detetive, com a ajuda dos seus queridos meninos, conseguira prendê-lo, pondo fim ao rumoroso caso da Droga da Obediência.

E, agora, o Doutor Q.I. desaparecera da Penitenciária de Segurança Máxima!

Ninguém estaria seguro com aquele homem à solta.

E os *seus* meninos? Sim, porque Andrade considerava Magrí, Chumbinho, Miguel, Calu e Crânio como os *seus* meninos. Aquele monstro haveria de querer vingar-se, pois eles tinham sido os verdadeiros responsáveis pelo fim de sua carreira de crimes.

O Doutor Q.I.! Maldito! Em liberdade, aquele criminoso nunca descansaria até vingar-se dos meninos!

Não! Isso ele jamais permitiria. Os seus meninos nem ficariam sabendo da fuga do Doutor Q.I. Andrade o prenderia de novo, antes mesmo que a imprensa descobrisse aquele desastre. Não importava o que custasse.

— Eu juro! Eu vou pegar esse canalha de novo! — falava sozinho, enxugando o suor da careca com o lenço. — Meus meninos não podem correr perigo!

4. O FIM DOS KARAS

Enquanto estacionava a bicicleta em frente à sede da empresa que organizava acampamentos de férias, o ex-líder dos Karas repassava a última reunião secreta com seus companheiros.

E toda a dor daquele momento voltou a apunhalar-lhe o peito.

* * *

Irrequieto como sempre, com carinha alegre, excitado, Chumbinho antevia mais uma ação perigosa, mas divertidíssima:

— Ei, Karas, o que será que Miguel quer, hein? Por que essa reunião de emergência máxima?

— Não sei, Chumbinho.

— Uma emergência máxima sem a Magrí? Logo agora que ela está nos Estados Unidos!

— É melhor esperar — encerrou Crânio. — Já vamos saber.

Pelo alçapão, Miguel surgiu naquele momento.

Chumbinho tremia, antecipando a emoção. Para ele, todas as aventuras arriscadíssimas em que os Karas haviam se envolvido já eram passado. Ele *precisava* de mais uma.

Decidido, Miguel sentou-se, fechando a rodinha sob a luz que passava pelas telhas de vidro.

— Pessoal — começou ele, sem usar a palavra "Karas" —, a junta diretora do Elite vai demitir a professora de inglês. Como presidente do grêmio do colégio, vou abrir um abaixo-assinado para pedir que...

Calu interrompeu:

— E o que os Karas têm a ver com o seu maldito abaixo-assinado?

Miguel continuou, ignorando a interrupção:

— ...para pedir que a professora não seja demitida. Os Karas têm uma missão. Precisamos preparar os colegas, para que o abaixo-assinado tenha o maior número de assinaturas possível.

— É assim, é? — perguntou Calu, com deslavada ironia na voz.

— É assim o quê?

— Olhe aqui, Miguel, já estou cheio dessa sua mania de mandar. A gente não devia discutir o assunto primeiro? Descobrir por que a diretoria quer demitir a professora?

— Olhe aqui *você*, Calu! — Miguel falou com dureza, sem encarar o amigo. — O presidente do grêmio do

Colégio Elite sou eu e pronto. E eu sei que a professora de inglês...

— Ah, ah! — cortou Calu. — Você sabe tuuuudo mesmo! E nós não passamos de cretinos que estamos aqui para fazer o que você manda, como carneirinhos! Bela turma a nossa!

Miguel percebeu na hora. Calu viera à reunião disposto a fazer exatamente o que Miguel queria. Sua decisão tinha um adepto.

— Ora, Calu, vê se cala a boca!

Crânio pulou:

— Que negócio é esse de "cala a boca"? Eu também já estou cheio desse seu nariz empinado! Cale a boca você!

Calu piorou o clima ainda mais:

— Não se meta na conversa, Crânio! Eu também já estou cheio desse seu arzinho de gênio, metido a saber mais que todo mundo!

— Ah, é? E você, com esse jeito de galãzinho de novela? O que você está pensando? Pensa que pode com uma garota de verdade só porque a mamãe acha você o garotinho mais gostoso do mundo?

— Olha aqui, Crânio! Não bota a mãe no meio!

Chumbinho, de boca aberta, não conseguia entender o que estava acontecendo:

— Ei, Karas! Que história é essa?

Miguel entrou com tudo:

— Karas, ah! Mas que besteira essa de "Karas"! Não sei onde estava com a cabeça quando inventei de criar essa maluquice! Isso é coisa de criança!

Chumbinho pulou:

— O quê?! Lutar contra o Doutor Q.I., contra a Máfia, contra os neonazistas, foi tudo coisa de criança?! Você está querendo me gozar, Miguel?

— Desculpe, Chumbinho, mas procure me entender — Miguel escolhia cada palavra. Não podia ferir aquele amigo. Aquele fantástico Chumbinho. — A gente tem de crescer um dia. Não dá mais para ficar brincando de detetive...

— Brincando?! — Chumbinho perdeu a calma. — Eu te conheço, Miguel. O que está acontecendo, hein?

Miguel levantou-se.

— Já me enchi, Chumbinho. Estou fora dos Karas.

— Fora dos Karas?! O que você está dizendo, Miguel? Você não pode fazer isso! Ainda mais agora que Magrí não está no Brasil. O que ela vai pensar?

O nome de Magrí fez Miguel encarar um a um os três amigos.

— Se vocês quiserem, que continuem com essa brincadeira. Eu estou fora!

Calu levantou-se.

— Antes de você, caio eu fora dessa besteira!

— Você?! — riu-se Crânio. — Quem está fora sou eu!

Miguel já estava próximo ao alçapão.

— Chega! Não quero mais saber de nenhum de vocês. Acabou!

A boca de Chumbinho abriu-se como se fosse engolir um ovo, mas, dessa vez, o menino dominou a raiva. Havia muito mais coisas no ar abafado daquele forro de vestiário do que tinha sido dito. E a inteligência aguda do menino queria saber o que estava acontecendo de verdade.

— Karas, vocês estão escondendo alguma coisa de mim. Isso não é leal! Será que já não provei que...

Miguel agarrou-lhe o braço.

— Chumbinho, você...

O menino desvencilhou-se com um tranco.

— Eu não vou chorar, Miguel, pode ficar descansado! Não sei o que está acontecendo, mas vou descobrir. Não vou deixar a turma dos Karas morrer!

— Mas, Chumbinho...

— Ainda tenho Magrí. Quando ela voltar, nós dois vamos descobrir o que está acontecendo!

Sem dizer mais nada, Miguel levantou-se e desapareceu pelo alçapão.

Chumbinho olhou suplicante para os dois amigos que restavam. Nenhum dos dois o encarou e, um a um, deixaram o forro do vestiário do Colégio Elite.

Sozinho, Chumbinho cerrou os punhos e falou para as telhas, para as teias de aranha, para o pó, para o vazio:

— Eu não vou deixar a turma dos Karas morrer!!

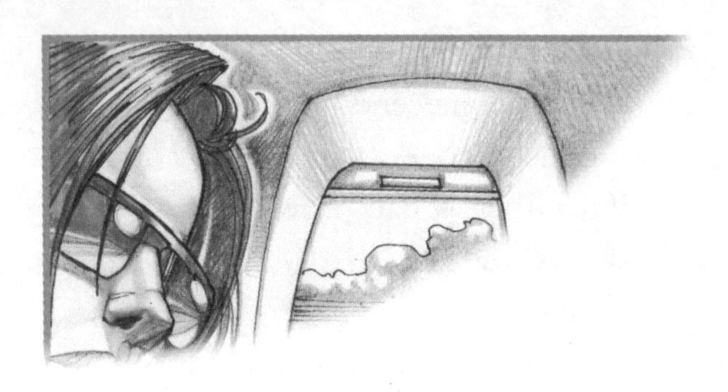

5. Turma de um Kara só

Chumbinho não sabia o que fazer depois daquela reunião desastrosa. O fim dos Karas! Como ele iria admitir que a turma dos Karas pudesse dissolver-se? Se Magrí não estivesse viajando...

Saiu do colégio, olhando para o chão.

* * *

Magrí já estava pronta para o treino. Ligou o *laptop* à linha telefônica do hotel e conectou-se à Internet. Queria ler as mensagens do Brasil antes de sair. A primeira era de seu pai.

"Querido papai..."

Respondeu-a rapidamente, enquanto mais uma mensagem abria-se no monitor...

* * *

O velho fusquinha de Andrade encostou na calçada e a voz amiga do detetive despertou o menino das preocupações:

— Olá, Chumbinho! Tudo bem?

— Detetive Andrade!

Andrade... Aquele sim era um amigo. O único adulto que sabia o valor dos cinco Karas.

O detetive enxugava a careca com um lenço. Era sinal de preocupação, Chumbinho sabia muito bem. Mas a expressão do gordo detetive procurava demonstrar tranquilidade.

— Estava passando por aqui e resolvi ver como vão as coisas...

— As coisas? Que coisas?

— O pessoal... Como estão Miguel, Magrí, Calu e Crânio?

— Magrí está nos Estados Unidos, participando de um campeonato de ginástica olímpica. Os outros... bom, os outros parece que ficaram malucos...

— Ficaram malucos? O que você quer dizer com isso?

— Nada, Andrade. Brincadeira...

O detetive fez uma pausa, sem saber como continuar. Chumbinho não ajudou em nada. Olhava o amigo, com sua melhor expressão de ingenuidade.

— Mas está tudo bem mesmo?

Andrade que se revelasse. Porque, que havia alguma coisa no ar, isso havia.

— Está. Por que não haveria de estar?

— Nada, Chumbinho. Só estou perguntando... Não apareceu ninguém por aqui?

— Sei lá. Quem deveria aparecer?

— Deveria? Ninguém deveria. Hum... Estou falando assim, de um modo geral, porque vocês vivem se metendo em encrencas. Se alguma coisa estranha acontecer, eu quero que vocês me comuniquem imediatamente.

Os olhos de Chumbinho passaram por todo o interior do carro, em busca de alguma pista que justificasse o estranho comportamento do amigo detetive. No banco de trás, havia um grande envelope timbrado da Penitenciária Estadual de Segurança Máxima. Para completar o quadro, notou que o detetive esquecera de tirar um crachá da lapela. E lá também estava escrito o nome da penitenciária. Muito bem. Andrade estivera lá, e de lá viera direto para o Elite. Por quê?

— Está bem, Andrade. Está tudo bem por aqui.

Chumbinho disfarçou, riu, mostrou-se "menino" para deixar Andrade mais à vontade e, de repente, com a carinha mais inocente do mundo, perguntou:

— Puxa, Andrade! Estou me lembrando agora do Doutor Q.I. O que será que ele anda pensando lá, na Penitenciária de Segurança Máxima?

— Ué... Quem lhe falou da Penitenciária de Segurança Máxima?

— É lá que está preso o Doutor Q.I., não é?

— O Doutor Q.I.? Está preso lá? Nem sei...

— Daquela penitenciária nunca ninguém fugiu, não é?

— Fugir de lá? Ora, essa é boa! Nem as moscas conseguem sair daquela fortaleza de concreto e aço. Tudo eletrificado, computadorizado e automatizado. Aquilo é à prova de fuga. Nem pense que o Doutor Q.I. conseguiria fugir de lá.

— Ué... você não disse que não sabia se o Doutor Q.I. estava ou não preso lá?

— E não sei mesmo! O que eu quis dizer é que, se ele estivesse, nunca conseguiria fugir! Aquilo é como um verdadeiro abrigo contra bomba atômica!

Então era isso! O detetive tentava esconder alguma coisa. Alguma coisa importante e que tinha que ver com os Karas. Senão, por que teria vindo ao Elite ainda com o crachá e com um grande envelope da penitenciária no banco de trás do carro? O que conteria o envelope? A ficha do Doutor Q.I.?

— Se o Doutor Q.I. fugisse da prisão, você nos contaria, não é, Andrade?

O gordo detetive agarrou o volante com raiva e ligou novamente o carro.

— Chumbinho, não se preocupe. Ele não faria nada contra vocês. Eu juro que não faria. Eu estou de olho. Ele não conseguiria nem se aproximar de vocês!

Andrade estava nervoso demais. "Faria", "conseguiria"... O menino estava certo de que não era para acreditar naqueles condicionais. O maldito Doutor Q.I. tinha fugido da prisão, só podia ser isso! Andrade viera direto ao Elite porque havia perigo. Perigo de vingança contra os Karas!

Quando Chumbinho viu o carro do detetive distanciar--se, já tinha resolvido o que fazer.

"Preciso da Magrí. Com o Doutor Q.I. à solta, os Karas estão em perigo."

Em uma folha da sua agenda de bolso, rabiscou a mensagem em código e correu para o *Cyber-café*.

* * *

A mensagem que se abria no monitor do *laptop* era estranha, em uma língua mais estranha ainda.

Mas não para Magrí. Estava em código. Um código que só os Karas conheciam. E que só era usado em ocasiões de grande urgência.

Com seu olhar treinado, a menina traduziu o texto de cabeça, na mesma hora. Era só aplicar primeiro o *Código Vermelho*, substituindo AIS por A, ENTER por E, INIS por I, OMBER por O e UFTER por U.

MIGSÁ

VENPO USGOLPO.
KISIR OM TOSAGE

CHUMBALHE

O texto ainda não fazia sentido, mas Magrí sabia que, em seguida, bastava usar o Código *Tenis-Polar*, colocando a palavra “TENIS” sobre a palavra “POLAR”, de modo que o T correspondesse ao P, o E ao O, o N ao L, o I ao A, o S ao R, e vice-versa. Daí, era só trocar cada letra pela correspondente acima ou abaixo, mantendo as letras que não tinham correspondência com nenhuma das que as duas palavras continham.

Pronto. Lá estava o texto da mensagem:

MAGRÍ

VOLTE URGENTE.
KARAS EM PERIGO

CHUMBINHO

* * *

Dona Iolanda estava quase chorando na hora do embarque.

— Que azar, Magrí! Você foi se machucar quando faltavam só dois dias para a prova final! Ai, ai, ai! Só pode ser praga. A culpa foi minha. Eu não devia ter forçado tanto os treinamentos...

— Que nada, dona Iolanda — consolava-a Magrí, enquanto fingia manquitolar ao lado da professora, na fila de embarque do Aeroporto Kennedy. — Isso acontece. Já estou muito grande para o triplo mortal de costas. Caí de mau jeito...

— Sorte da ucraniana! Isso é praga de alguma bruxa! Eu sabia que não se pode confiar nessa gente!

Magrí sentou-se na poltrona do avião e ajeitou cuidadosamente a perna enfaixada.

— Está doendo? — perguntou dona Iolanda, ajudando-a a afivelar o cinto de segurança.

— Um pouco... — fingiu Magrí.

O enorme jato decolou suavemente.

Magrí suspirou. Para ela não tinha sido fácil fingir a contusão no tornozelo. Ela também estava ansiosa para ganhar a medalha de ouro do Campeonato Mundial de Ginástica Olímpica dos Estados Unidos. Dedicava-se aos treinamentos há meses, lutando por aquela oportunidade. Mas a mensagem de Chumbinho era mais importante do que qualquer competição.

"Bom, ainda tenho as Olimpíadas no ano que vem..."

A urgência declarada na mensagem não poderia esperar os dois dias que faltavam para a prova final de ginástica de solo. Os Karas estavam em perigo. E os Karas, para Magrí, estavam acima de todas as medalhas de ouro. A ginástica olímpica era sua realização, mas os Karas eram a sua vida.

Voltou-lhe à lembrança um rapaz especial entre os Karas.

"Será que alguma coisa aconteceu a ele? Por ele, eu abandonaria até as Olimpíadas!", pensava a menina, olhando para as nuvens pelo lado de cima, que sempre lhe tinham parecido como um campo nevado, fofo, onde seria maravilhoso mergulhar.

"Mergulhar com *ele*..."

6. Sobre as nuvens

Crânio mergulhou nos estudos. Física, computação, problemas de xadrez tornaram-se para ele não um modo de aprender, mas de esquecer. Esquecer os Karas, esquecer Magrí...

Era noite. Tarde. Montou no tabuleiro um problema de xadrez. O rei negro leva mate diante da dama branca. Em três lances.

"Os três lances já foram jogados, Magrí... O rei já caiu..."

* * *

Dona Iolanda dormia placidamente na poltrona do avião, depois da refeição servida pelas comissárias de bordo.

Ao lado da professora, sentada na poltrona do corredor, Magrí tirou os fones de ouvido e ficou olhando, desinteressada, o filme que era exibido a bordo do avião. Vendo o rosto dos atores agora mudos como numa comédia antiga de Charles Chaplin, Magrí imaginava uma carinha especial. Um "Karinha" especial... O *seu* Kara. Seu? Como ele poderia ser seu? Como ela poderia ser *dele*? E os outros dois? Ai, o que fazer?

Levantou-se da poltrona, sentindo os músculos dormentes pela longa permanência no avião e pelo esforço em fingir a contusão no tornozelo.

Toda a cabine estava às escuras.

* * *

"Preciso relaxar, dormir. Amanhã eu tenho ensaio... preciso dormir... dormir... 'Dormir, talvez sonhar... e, nesse sonho, sonhar que tudo está acabado, tudo resolvido...' Magrí esquecida... Aaaahhh! Esquecida! Que piada! Não, não, não! Não é o Hamlet que eu vou fazer. Vou fazer o Folial... de 'O Escorial'... de Michel de Ghelderode... um belga... Ainda não sei as falas do Folial de cor... O rei diz: 'Tantas flores, tantas flores... E eu soluçarei por causa das flores... pela minha querida rainhazinha...' Magrí... ãhn, ãhn, ãhn... 'Chorarei como tu haverias de chorar por mim, querida rainhazinha, se a morte se houvesse enganado de quarto... Tem graça! E ninguém foi testemunha de minhas lágrimas. Ei, Folial! Bufão maldito que não viste chorar teu rei! Folial, meus cães te devoraram, carne cômica?' Ãhn, ãhn, ãhn... 'Vossos cães são os cães do rei, senhor. Devorariam vossos cortesãos, não vossos valetes...' Ai, e depois? Qual é a próxima fala? Ãhn, ãhn, ãhn... 'Blasfemador! Aquela que agoniza é bela, pura e santa! Morre por causa do silêncio e das trevas deste palácio, cujas paredes têm olhos, e cujos salões de festa ocultam armadilhas e instrumentos de tortura! Morre porque viveu entre seres sinistros, longe do sol, sequestrada e estranha. Morre, rainha sem povo, de um reino que goteja sangue, onde reinam espiões e inquisidores.' Ãhn, ãhn, ãhn... 'Digo-vos que a morte é uma benfeitora, cuja chegada desejei, como vós a desejastes. E ela se apresentou imediatamente, pois nunca anda muito longe daqui, cujo domínio ela reparte com a loucura!...' Magrí... ãhn, ãhn, ãhn... 'Minha coroa! Eu sou o rei! A rainha morreu... Anuncio ao rei que a rainha morreu...' Ai, Magrí, minha rainha... Vem, Magrí... Está escuro, Magrí... Não consigo dormir... ãhn, ãhn, ãhn... Ai, Magríííí..."

* * *

Magrí andou ao longo do corredor do avião.

A maioria dos passageiros dormia.

Perto dos toaletes, dois homens conversavam em inglês.

— *I wonder how that country is...* — dizia o mais velho.

— *It's really hot...* — informou o outro.

— *I hate the heat. Oh, how I hate the heat!*

— *Well, there are beautiful women down there. And beautiful beaches...*

— *I'm a city man. I hate beaches. I don't like the sand and all those dirty things!*

— *Well, forget all about that. Our job is what matter. Are you completely prepared?*

— *I think so. But I don't know if we rehearsed enough...*

— *You know all you need to know. Everything will be fine...*[1] — encerrou o mais moço, encolhendo-se na poltrona, para dormir.

Magrí voltou para sua poltrona, sorrindo consigo mesma:

"Esses americanos! Por que vêm para o Brasil, se odeiam praia? Se não gostam de calor? Devem ser atores, ou músicos... Falaram em ensaiar pouco... Ah, músicos de *rock* é que não são. São velhos demais para o *rock*!"

Sentou-se novamente ao lado da professora adormecida.

O filme era mesmo muito chato. Acendeu a luzinha individual e tentou ler, mas, com o zumbido dos motores e com a monotonia da viagem, acabou pegando no sono. Mais uma vez para sonhar com um Kara especial...

---

[1] — Fico imaginando como deve ser este país...
— É realmente quente...
— Eu odeio o calor. Oh, como eu odeio o calor!
— Bem, há lindas mulheres lá. E lindas praias...
— Eu sou um homem da cidade. Odeio praias. Não gosto de areia e todas aquelas coisas sujas.
— Bem, esqueça tudo isso. Nossa tarefa é o que interessa. Você está perfeitamente preparado?
— Acho que sim. Mas não sei se ensaiamos o suficiente...
— Você sabe tudo o que precisa saber. Tudo vai dar certo...

* * *

Chumbinho acordou cedo.

A casa ainda dormia quando o menino saiu.

Pegou um táxi especial.

— Para Cumbica, por favor.

O motorista sorriu.

"Corrida boa..."

No bolso de Chumbinho estava a cópia do *e-mail* que Magrí enviara em resposta ao seu. Dessa vez, não tinha sido necessário usar nenhum código. A mensagem dizia apenas o horário do pouso em Cumbica do avião em que Magrí voltaria dos Estados Unidos.

"Vou chegar ao aeroporto antes de Magrí passar pela alfândega...", pensava o menino.

* * *

Acordou com a voz excitada de dona Iolanda:

— Ai, Magrí! Você nem imagina quem está no avião, junto com a gente!

— Hum?

Dona Iolanda estava animadíssima:

— Você já ouviu falar na Droga do Amor? Já ouviu?

— S-sim... — respondeu a menina, esfregando os olhos.

— E você sabia que o teste final da Droga do Amor vai ser feito no Brasil? Hein? No Brasil? — a professora fez uma expressão superior, de quem descobriu algo muito importante. — Pois as amostras do soro e os cientistas criadores da Droga do Amor estão voando para o Brasil *neste* avião!

— É mesmo? Onde estão eles?

— Acabei de saber por uma repórter que está viajando conosco. São aqueles dois ali!

Magrí seguiu a direção do dedo apontado pela professora. De pé, no corredor, aceitando com prazer a bajulação e o interesse jornalístico da tal repórter, estavam os dois americanos que Magrí ouvira conversando naquela noite.

— Esses são os dois salvadores da humanidade, Magrí! Venha. Vamos pedir um autógrafo!

— Ah, dona Iolanda! Deixa isso pra lá...

Mas a professora já tinha tirado uma agenda e uma caneta da bolsa e corria pelo corredor, em direção aos dois cientistas.

Magrí pensou que, se os testes da Droga do Amor no Brasil dessem certo, aqueles dois americanos ganhariam o Prêmio Nobel, sem a menor dúvida. Daí, o autógrafo conseguido por dona Iolanda valeria uma fortuna...

A professora estendia a agenda e a caneta para o mais velho dos dois americanos. Surpreso, o homem pegou a agenda e rabiscou algo rapidamente, com um sorriso feliz.

Aquele gesto despertou o avião. Outras pessoas aproximaram-se, estendendo também papéis e canetas em direção aos cientistas e criando uma pequena confusão.

Uma adolescente gordinha perguntava, excitada:

— É um artista de Hollywood, é? É da tevê?

O americano mais jovem, de cabelos negros e lisos, empurrou o companheiro de volta à poltrona da janelinha. Com uma expressão preocupada, sacudiu a mão em direção aos passageiros.

— *Please, no autographs, please...*

— O quê? — perguntou a gordinha que, pelo jeito, não falava nada de inglês.

— Sem autógrafo, por favor... — traduziu o homem, educadamente.

"Hum... um deles fala português!", pensou Magrí.

* * *

Um instrutor experiente discorria sobre as obrigações que os monitores teriam durante o acampamento.

— Todo cuidado é pouco, pessoal. Teremos crianças a partir de quatro anos e não queremos nenhum acidente.

Miguel esforçava-se para prestar atenção às instruções. Mas, por dentro, sua mente escapava para as aventuras que poderia estar vivendo com os Karas...

"Ah, os Karas não existem mais! Preciso me concentrar. Crânio, Calu e Chumbinho são passado. Magrí é passado! Ai, Magrí..."

Um intervalo. Os candidatos a monitor espalharam-se pela casa, conversando. Sobre a mesa do instrutor, Miguel encontrou o mesmo jornal que vira naquela manhã. Sem vontade de conversar com ninguém, passou a folheá-lo. A vinda dos cientistas americanos para o Brasil era o assunto principal. Eles desembarcariam naquela manhã em Cumbica.

Olhou o relógio. Os cientistas, trazendo a Droga do Amor, deveriam estar desembarcando naquele momento.

7. Sequestro em Cumbica

Na frente das portas de vidro que davam para o saguão de desembarque do Aeroporto Internacional de Cumbica, parentes à espera de viajantes e funcionários de empresas portando tabuletinhas com nomes de passageiros formavam um aglomerado ansioso.

Chumbinho estava na primeira linha da multidão, apertado contra os balaústres que formavam um corredor a partir das portas de vidro.

Na tabuletinha de um grupo de engravatados, Chumbinho leu: "Drug Enforcement Inc. — Dr. Bartholomew Flanagan".

"Que coincidência!", pensou o menino. "O criador da Droga do Amor vem justo no avião da Magrí!"

Os primeiros passageiros começavam a despontar.

— Magrí! — gritou Chumbinho, ao ver a amiga manquitolando apoiada no ombro de dona Iolanda, que empurrava o carrinho de bagagens.

— Chumbinho! — respondeu Magrí, logo que viu o amigo.

Fingindo andar com dificuldade, Magrí foi sendo ultrapassada por outros passageiros.

Chumbinho viu dois homens de terno passarem pela amiga.

O mais novo acenou ao ver o grupo de engravatados e puxou o companheiro na direção da tabuleta em que estava escrito "Drug Enforcement Inc.".

Quando Magrí e dona Iolanda já estavam perto de Chumbinho, a professora gritou:

— Ei! O que está acontecendo?

Magrí seguiu o olhar espantado de dona Iolanda.

Foi tudo muito rápido, profissional. Todos os engravatados sacaram armas e quatro deles agarraram os dois recém-chegados.

— Parem com isso! — gritou a professora.

Um dos homens ergueu o braço e uma chama brilhou, enquanto um tiro ecoava sinistramente pela imensidão do aeroporto.

— Dona Iolanda!

Magrí deixou cair a bolsa ao sentir a professora bambear abraçada a ela.

Chumbinho pulou sobre as duas, tentando cobri-las com o próprio corpo. Mas a proteção não era mais necessária. Um dos viajantes de terno estava sendo arrastado para longe e o outro já estava caído, depois de levar violenta coronhada.

Pânico no aeroporto. Gritos, desmaios, bagagens caindo no chão, e a multidão, ao espalhar-se, comprimiu os dois Karas que amparavam dona Iolanda.

— Abram! Deem espaço! — gritou Chumbinho. — Tem uma pessoa baleada aqui!

Gritos e confusão mudaram de rumo, e os três viram-se repentinamente no meio de uma roda.

Um Kara treinado nunca deixa escapar nada, mesmo nas situações mais terríveis. E Chumbinho notou que a bolsa que Magrí deixara cair, ao amparar a professora, tinha desaparecido.

Com o corpo largado, dona Iolanda sangrava nos braços de Magrí.

* * *

Calu estava saindo do banho quando ouviu a notícia pelo rádio:

"Sequestro em pleno Aeroporto Internacional de Cumbica! O famoso cientista americano doutor Bartholomew Flanagan, criador da Droga do Amor, foi levado à força por elementos não identificados, quando chegava ao saguão do aeroporto, vindo de Nova Iorque. Até o momento, não há pistas dos sequestradores. O doutor Hector Morales, presidente da Drug Enforcement Inc. na América Latina, que o acompanhava, foi ferido por uma coronhada. Mas o serviço médico do aeroporto já o atendeu e ele se encontra ainda lá, auxiliando nas investigações. Nossa reportagem descobriu que uma mulher, ainda não identificada, foi ferida à bala durante o sequestro. Os doutores Flanagan e Morales chegavam ao Brasil para os tão esperados testes finais da Droga do Amor, o soro contra a praga do século, que poderá ser a esperança de tantos pacientes terminais em todo o mundo. E atenção: diretamente do Aeroporto Internacional de Cumbica, fala a nossa repórter Abigail Cintra. Pode falar Bibi!"

"Bom dia, Marcos Antônio. Acabamos de receber a notícia de que a caixa com as amostras do soro da Droga do Amor que seriam usadas nos testes no Brasil foi também levada pelos sequestradores. Acredita-se que se trata de um plano internacional, provavelmente liderado pela Máfia. No comando das investigações está o detetive Andrade, mas, até o momento, nossa reportagem não teve acesso à sala onde se encontra o doutor Hector Morales, que nesse momento está sendo interrogado pelos policiais. A diretoria da Drug Enforcement vai distribuir um comunicado à imprensa nas próximas horas..."

* * *

— Cuidado com ela!

Os maqueiros já estavam tomando todo o cuidado que Magrí exigia, aos berros, enquanto transportavam dona Iolanda, desfalecida, para dentro da ambulância. Um enfermeiro erguia um frasco com soro, já ligado à veia de um dos braços da professora.

Repórteres surgiram por todos os lados em busca de declarações, mas o que conseguiram foi prejudicar o trabalho da equipe médica e aumentar a confusão.

— As câmeras! — ordenava um. — Mande vir logo as câmeras. Não podemos perder essas imagens!

Próximos ao tumulto, dois homens muito discretos, de terno escuro, quase gêmeos, conversavam baixinho, observando a cena apenas com o canto dos olhos.

Chumbinho e Magrí não tinham desgrudado um segundo de dona Iolanda. Os dois jovens estavam manchados com o sangue da professora e os repórteres procuravam ansiosamente entrevistá-los.

— Filmem esses meninos sujos de sangue! Vamos logo! Vai dar um lindo visual na tevê.

Magrí não largava da mão de dona Iolanda, que tinha o tronco totalmente enfaixado. E a gaze já estava vermelha.

— Afastem esses repórteres! — gritou um policial. — Fechem logo a porta da ambulância!

— Eu vou também! Ela é minha professora. Viajamos juntas!

— Vai nada, menina! — decidiu o policial. — Você é testemunha. Você e esse rapazinho!

— Me deixe!

— Venha quietinha. Sua professora vai ser muito bem cuidada. O estado dela será informado por telefone ao chefe das investigações, não se preocupe. Venha, vamos para a sala da Polícia Federal. Ei, enfaixaram seu tornozelo? Você também foi baleada?

— Isso não é nada. Já desembarquei assim.

Segurando os dois Karas, o policial abriu caminho no meio dos repórteres.

Mantendo uma certa distância, os dois homens de terno escuro seguiram discretamente na mesma direção.

A ambulância partiu com a sirene ligada.

Caminhando pelo saguão, Magrí percebeu que estava com a bolsa de dona Iolanda. Onde estava a sua? Bem, se tivesse sumido, isso não tinha grande importância. Ali só havia dinheiro e produtos de maquilagem. Seu passaporte e outros documentos estavam na mochila, junto com as bagagens.

Seus olhos se apertaram, pensando na professora:

— Será que ela vai viver, Chumbinho?

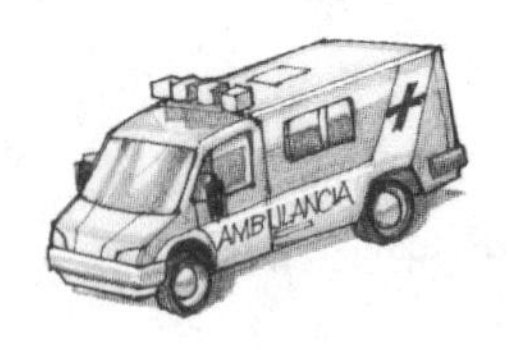

8. Brincando com a morte

Para um caso grave como aquele, o Esquadrão Antissequestro estava sob as ordens da Polícia Federal. E todos estavam sob o comando do detetive Andrade, nacionalmente famoso depois de tantos casos difíceis resolvidos com tanto brilho, como o da Droga da Obediência, da Máfia no Pantanal, da conspiração neonazista e tantos outros.

Quando o policial, trazendo os dois Karas, abriu a porta da sala da Polícia Federal no Aeroporto de Cumbica, lá estava o detetive Andrade, andando de um lado para o outro e enxugando com um lenço a careca suada, apesar da temperatura perfeitamente climatizada. O famoso detetive voltou-se, surpreso:

— Magrí! Chumbinho! O que vocês estão fazendo aqui?

— Esses dois são as testemunhas que estavam com a mulher baleada — informou o policial, ainda segurando os dois Karas sujos de sangue. — O senhor já conhecia esses meninos?

— É claro que sim! Raios! Que mania vocês têm de se meter em tudo! O que houve? Quanto sangue! Vocês estão feridos? O que é isso no tornozelo, Magrí?

Como um pai preocupado, abraçou Magrí e Chumbinho e ouviu ansiosamente o relato do que os dois tinham presenciado.

— Mas por que será que os bandidos só atiraram nessa sua professora, dona Iolanda?

— Não sei, Andrade — respondeu Magrí. — Vai ver foi porque ela gritou...

Os dois Karas sentaram-se e Magrí tratou de tirar as bandagens que envolviam seu tornozelo, falsamente destroncado. Agora não havia mais necessidade de fingir.

Andrade andava novamente a esmo, enxugando a careca.

— Eu não entendo! Por que haveriam de sequestrar o doutor Bartholomew Flanagan? Por que roubar as amostras da Droga do Amor? De que vale isso para esses bandidos? No próximo avião, a Drug Enforcement pode enviar outra caixa com novas amostras!

— Um momento, detetive...

Sentado em uma cadeira, já com um belo curativo na testa, quem falou, em português perfeito, com um leve sotaque, foi o americano ferido pela coronhada.

— Por favor, não estranhe que eu fale a sua língua. Sou Hector Morales, presidente da Drug Enforcement Inc. na América Latina. Minha função exige que eu domine perfeitamente o português e o espanhol. Sou americano, de origem porto-riquenha e...

— E o quê, doutor Morales? — Andrade estava impaciente. — Vamos cortar as apresentações. Pode me dizer qual o lucro que esses bandidos esperam ter, sequestrando o doutor Bartholomew Flanagan e roubando as amostras da Droga do Amor? O que eles querem? Pedir um resgate pelo cientista?

Hector Morales era um homem extremamente educado. Seus cabelos, apesar do curativo, já estavam novamente penteados para trás, em perfeita ordem, negros, lisos e brilhantes, o nó da gravata novamente impecável e a tranquilidade recuperada.

— Detetive...?

— Andrade. Detetive Andrade.

— Detetive Andrade, o que acaba de acontecer tem uma gravidade muito maior do que o senhor está pensando.

— Mais grave? O que pode ser mais grave do que...

— Um momento, deixe-me continuar. O projeto do soro que vocês, aqui no Brasil, batizaram de "Droga do Amor", aliás um nome muito criativo, é extremamente secreto. A Drug Enforcement teve de adotar todas as providências para impedir que empresas concorrentes tomassem conhecimento do que estávamos pesquisando. O senhor sabe, detetive Andrade, como é sério o problema de espionagem industrial nos Estados Unidos, não é?

— Continue, doutor Morales.

— Nosso esquema de proteção às pesquisas foi o mais perfeito possível. Decidimos que, quanto menor o número de pessoas que conhecessem a fórmula do soro, maior seria nossa segurança na proteção do segredo. Desse modo, mesmo a numerosa equipe que criou a fórmula não a conhecia em sua totalidade. Cada técnico desenvolveu apenas a sua parte, sem conhecimento das outras fases. Só o doutor Bartholomew Flanagan fazia a conexão entre os vários departamentos e conhecia a fórmula completa...

— O quê?!

— Para agravar o problema, detetive, a Drug Enforcement não tem outras amostras do soro. Por razões de segurança, só foram produzidas as amostras que estavam naquela caixa...

— Horror! Então isso quer dizer que...

— Que, sem as amostras e sem a fórmula que está na memória do doutor Bartholomew Flanagan, a Droga do Amor estará perdida!

* * *

Aquele sequestro do doutor Bartholomew Flanagan, mais o roubo da caixa com as amostras da Droga do Amor, tinha sido o plano mais sinistro que Andrade já enfrentara.

— Que horror! Que vergonha! Esses bandidos vão pedir uma fortuna para devolver a Droga do Amor! Malditos! Como alguém pode jogar assim com a vida de milhões de seres humanos desenganados em todo o mundo? Há milhões de pacientes terminais internados, ansiando por esse soro! É crueldade demais! Essa gente está brincando com a vida!

— Eles estão brincando com a morte, Andrade... — corrigiu Magrí.

O doutor Hector Morales balançou a cabeça:

— A Drug Enforcement pode reunir todos os cientistas que trabalharam com o soro e tentar refazer a fórmula. Porém, sem o gênio criativo do doutor Bartholomew Flanagan, vamos levar anos para chegar ao mesmo resultado. Talvez décadas...

— Bandidos!

— Décadas perdidas, bilhões de dólares em subvenções que recebemos de todo o mundo para desenvolver o soro também estão perdidos. Como reunir tudo o que precisamos para recuperar o que já havíamos descoberto? Onde conseguir novamente todo esse dinheiro para retomar as pesquisas? Como recriar tudo o que estava na cabeça do doutor Bartholomew Flanagan? Ah, isso é obra de uma organização criminosa internacional, sem dúvida...

— A Drug Enforcement já recebeu algum pedido de resgate?

— Ainda não. Acabei de falar com a diretoria, há poucos minutos. Vamos aguardar.

— Os bandidos, pelo jeito — raciocinou Andrade —, sabiam o que estavam fazendo ao sequestrar o doutor Flanagan e roubar as amostras da Droga do Amor. Posso concluir então que houve ajuda *de dentro* da Drug Enforcement, não é?

— Sim e não, detetive — respondeu o doutor Hector Morales. — A Drug Enforcement fazia questão de manter em segredo as pesquisas, mas não fazia questão de fazer segredo que fazia segredo. É nosso estilo de trabalho. Todo mundo sabe disso. O crime foi coisa de profissionais muito bem organizados. Só pode ser a Máfia...

— A Máfia? — cortou Andrade. — Acho que não neste caso. Acho que sei quem está por trás disso tudo...

Da sua cadeira, Chumbinho arriscou:

— O Doutor Q.I., sem dúvida.

Andrade olhou pálido para o menino.

— Chumbinho, você...

— Estou certo, não estou, Andrade? Quando você passou pelo Elite, preocupado com a gente, trazendo um crachá e um envelope da Penitenciária de Segurança Máxima, eu só podia desconfiar de uma fuga do Doutor Q.I., não é? E você tem razão: um plano como esse só pode mesmo ser coisa dele...

— Doutor Q.I.? Quem é essa pessoa? — perguntou Morales.

— Um gênio do mal, doutor — explicou Andrade, sem desmentir Chumbinho. — Alguém perfeitamente capaz de arquitetar uma barbaridade como essa, de lucrar com a morte de milhões de inocentes!

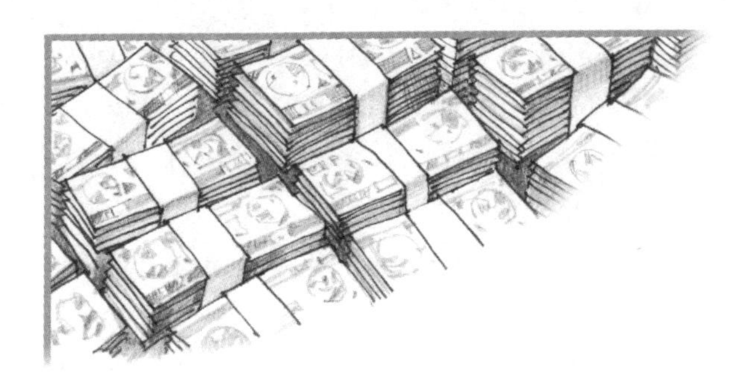

9. Separados não somos ninguém!

O telefone da sala da Polícia Federal tocou mais uma vez.

— É para o senhor, detetive Andrade — chamou um policial, estendendo-lhe o fone.

Era do Ministério das Relações Exteriores. O governo americano estava enviando dois agentes do FBI para acompanhar as investigações.

— Inferno! — praguejou Andrade, desligando o telefone. — Lá vêm esses gringos se meter com a gente! Eu já não tenho problemas de sobra?

— Isso é normal, detetive Andrade — tentou explicar o doutor Hector Morales. — O doutor Bartholomew Flanagan, um cidadão americano, está envolvido no problema. É normal que nosso governo esteja preocupado. Mas o senhor pode estar certo de que os agentes do FBI só vão acompanhar suas investigações. Tenho certeza de que só vão ajudar. O doutor Bartholomew Flanagan é uma personalidade muito importante. Espero que o senhor descubra logo para onde o levaram. Espero que os seus policiais possam salvar a vida dele. É uma vida importante para toda a humanidade, detetive Andrade.

— E a vida da minha professora? — interrompeu Magrí.

O doutor Morales aproximou-se da menina e, paternalmente, acariciou seu rosto com a mão quente e delicada.

— Oh, menina, sua professora vai ficar boa! A Drug Enforcement sente-se responsável por tudo o que aconteceu. Já dei ordens para que uma equipe médica da melhor qualidade assuma o tratamento de dona Iolanda. Pode deixar. Todas as despesas correrão por conta da Drug Enforcement. Sua professora está em boas mãos...

O diretor da Drug Enforcement era um homem calmo, seguro, carinhoso. Não se parecia nada com a imagem fria e impessoal que todo mundo faz dos grandes executivos. Suas palavras confortavam o coração de Magrí. A menina aceitou a carícia no rosto, como se o americano fosse um tio.

O detetive Andrade aproximou-se dos três.

— Ah, meninos! Estou aqui falando e envolvendo vocês ainda mais nesse tumulto. Vocês não têm nada com isso. Devem estar exaustos. Ainda mais você, Magrí, depois de uma viagem tão longa e de tanta confusão. Vou chamar uma viatura para levá-los para casa, em segurança. O melhor que têm a fazer é tomar um banho e esquecer tudo isso. Podem deixar os problemas comigo.

* * *

Enquanto esperavam pela viatura, Magrí, com um olhar, chamou Chumbinho para perto da janela da sala da Polícia Federal. Debruçados no parapeito, falando muito baixo, os dois Karas podiam conversar.

— O Doutor Q.I., Chumbinho! Fomos nós que acabamos com o plano sinistro dele, no caso dos sequestros de estudantes. Estava na cadeia por nossa causa. Agora, no mínimo, ele vai querer nossas cabeças numa bandeja! Precisamos de uma reunião de emergência máxima dos Karas, imediatamente!

Chumbinho falou entre dentes, com raiva e decepção na voz:

— Os Karas não existem mais, Magrí...

— O quê?! O que você está dizendo, Chumbinho?

Com os olhos vermelhos, contendo-se para não chorar, Chumbinho relatou todos os detalhes da reunião maluca dos Karas. Repassou cada uma das palavras duras trocadas entre Miguel, Calu e Crânio.

— Foi horrível, Magrí. Eles estavam diferentes, estranhos, furiosos. Ah, como eu queria que você estivesse lá naquela hora! Mas só resolvi enviar o *e-mail* quando descobri a fuga do Doutor Q.I. Logo depois da maldita reunião, Andrade apareceu lá no Elite, disfarçando, perguntando se estava tudo bem...

Ao longe, além da vidraça fechada da sala, um Boeing levantava voo como uma garça, sob um sol de maçarico.

Olhando fixamente para a pista do aeroporto, Chumbinho falava e Magrí ouvia, sem interromper. Mas, por sua cabeça, um turbilhão de suspeitas crescia.

— Não sei, Magrí. Não sei o que deu naqueles três para se pegarem numa discussão besta. Nem posso imaginar por que os três resolveram acabar com a turma dos Karas. Tem alguma coisa estranha, Magrí. Uma coisa que eu tenho de descobrir!

O coração de Magrí apertava-se dentro do peito. Ela conhecia aqueles três muito bem. Dissolver a turma dos Karas? Nenhum deles jamais sonharia com uma coisa dessas. Então, o que teria havido? Será que...? E uma suspeita doída ocorreu à menina. Seria ela a causa daquilo tudo? Seria ela a culpada do fim daquela turma maravilhosa?

Chumbinho continuava:

— Eu tentei falar com eles mais uma vez, ainda agorinha, num orelhão, enquanto esperávamos a ambulância, lá no aeroporto. Calu estava de saída para um ensaio idiota. Na voz, parecia preocupado, mas disse que não tem nada a ver com cientistas sequestrados... Não consegui falar com Miguel. Lá na casa dele disseram que ele foi a um treinamento para monitores de um tal acampamento de férias. Coisa de criancinhas!

— E Crânio?

— Não quis nem conversa. Na hora, perguntou ansiosamente por você. Quando soube que estava tudo em ordem, disse que tinha muito que estudar. Nem a fuga do Doutor Q.I. abalou aquele teimoso. Disse que o Doutor Q.I.

na certa já fugiu do Brasil, que eu não me preocupasse. E desligou o telefone também.

"O que está acontecendo?", perguntava a menina para si mesma. "Isso não é coisa deles! Nem Miguel, nem Calu, nem Crânio jamais recuariam diante de um desafio como esse. Foi por minha causa que tudo isso aconteceu? Ah, não pode ter sido, não pode!"

Juntos, olhavam o aeroporto sob o sol.

Sozinhos, sentiam-se desamparados.

— Eu *tenho* de saber quem baleou dona Iolanda, Chumbinho! Ela está em coma, no hospital. E se ela morrer?

Chumbinho baixou ainda mais o tom de voz:

— Magrí, a saúde de dona Iolanda não depende mais de nós. Só podemos torcer. Mas o Doutor Q.I. é nosso problema. Você sabe que ele não descansará enquanto não se vingar dos Karas. Um por um!

— Eu sei, Chumbinho, eu sei. Mas como vamos nos defender, separados? Juntos, já fizemos muita coisa, mas separados não somos ninguém! Como convencer Miguel, Calu e Crânio disso?

Apesar da gravidade da situação, Chumbinho estava com aquela expressão gaiata que marcava o caçula dos Karas. Olhou para a amiga com um meio sorriso:

— Eu tenho uma ideia, Magrí...

* * *

O telefone da sala da Polícia Federal, no Aeroporto de Cumbica, não parava de tocar. Policiais ligavam de todas as partes da cidade, comunicando o que *não* estavam conseguindo, na execução das instruções do detetive Andrade.

— Não há nem pista dos sequestradores — declarou Andrade, furioso, ao desligar mais um dos inúmeros telefonemas. — Até agora não encontraram ninguém que tivesse visto os carros em que os bandidos devem ter fugido. Parece que desapareceram no ar, levando o cientista! São profissionais, dos melhores! Quer dizer... dos piores!

O telefone tocou outra vez, e o próprio detetive atendeu.

— É para o senhor, doutor Morales. É da Drug Enforcement...

O americano pegou o telefone e falou em inglês:

— *Hello... What? For God's sake!... We should have expected something like that... My God! One billion!... Okay, we'll meet later. Don't do anything 'till I get there. All right?* [2]

Quando o doutor Morales desligou, seu rosto estava da cor de uma folha de papel. Magrí e Chumbinho, que falavam inglês perfeitamente, já tinham uma boa ideia do significado do telefonema, mas Andrade não tinha entendido nada:

— O que foi, doutor Morales?

O americano passou a mão pelo rosto e suspirou:

---

[2] — Alô... O quê? Por Deus!... Deveríamos ter esperado por algo assim... Meu Deus! Um bilhão!... O.k., nos encontraremos mais tarde. Não faça nada até eu chegar aí. Certo?

— Era da Drug Enforcement, detetive. Eles receberam um telefonema dos sequestradores.

— E então?

— Os malditos querem um bilhão de dólares para devolver o doutor Flanagan e a Droga do Amor!

* * *

As roupas ensanguentadas daqueles dois adolescentes chamavam a atenção de todos.

Escoltados por dois policiais, Chumbinho e Magrí atravessavam rapidamente o saguão do aeroporto, em direção à viatura que os levaria para casa.

Encostados a uma coluna, dois homens muito parecidos conversavam discretamente.

Quando a viatura policial fez o contorno para entrar na rodovia, um carro escuro seguia-os, a distância.

10. Seu filho está em nosso poder!

O detetive Andrade entrou no seu velho fusquinha. O diretor da Penitenciária de Segurança Máxima estava esperando por ele. Era pela penitenciária que ele devia iniciar as investigações. Andrade tinha certeza.

"Doutor Q.I.!", pensava ele. "Como eu vou descobrir onde se escondeu esse bandido? Como é que ele pôde, de dentro da cadeia, organizar um plano mirabolante como esse de sequestrar o doutor Bartholomew Flanagan e roubar a Droga do Amor? E como foi possível entrar em ação horas depois de fugir da cadeia? Ah, eu preciso pôr as mãos em você, Doutor Q.I.! Antes que você possa fazer algum mal aos meus meninos..."

Não tinha rodado nem cem metros quando o receptor do rádio do carro chamou:

— Detetive Andrade... Central chamando detetive Andrade...

Pegou o fone e respondeu:

— Detetive Andrade na escuta...

Do outro lado, a voz estava excitada:

— Venha para a Central imediatamente, detetive Andrade!

— O que houve?

— Outro sequestro, detetive Andrade. Desta vez é um menino.

— Que menino?

— Ainda não sabemos o nome do garoto, detetive. Só sabemos o apelido.

— E qual é o raio do apelido do menino? Fale logo!

— Um apelido gozado, detetive. Dizem que o menino é chamado de Chumbinho...

* * *

A casa estava cercada por cinco viaturas da polícia e por faixas de plástico amarelo isolando a área. Policiais em uniforme tentavam afastar os curiosos e as câmeras de tevê.

Uma bicicleta estava caída no gramado.

Andrade encostou o fusquinha e correu para a casa. Identificou-se para o guarda da porta e entrou na sala.

A primeira pessoa que viu foi Magrí, sentada em uma poltrona, chorando, desconsolada. Ao lado estava uma senhora estendendo-lhe um copo d'água. Os dois policiais que haviam escoltado a menina e Chumbinho do aeroporto para casa completavam o quadro, mostrando-se pouco à vontade.

— Magrí! O que aconteceu?

A menina jogou-se nos braços do detetive:

— Ah, Andrade! O Chumbinho! Dessa vez foi o Chumbinho!

Andrade, abraçando a menina e dando tapinhas paternais em suas costas, falou irado para os policiais:

— Vocês! Eu não disse para entregarem os meninos em segurança! O que vocês fizeram?

— Desculpe, detetive Andrade, nós...

Magrí afastou-se um pouco e encarou o detetive. Seu lindo rostinho estava coberto de lágrimas.

— Não, Andrade. A culpa não é deles. Eles me levaram direitinho para casa e depois trouxeram Chumbinho. Eles não têm culpa de nada!

— E a senhora, quem é? — perguntou o detetive, voltando-se para a mulher com o copo d'água. — É a mãe de Chumbinho?

— Não — respondeu a senhora. — Sou a governanta da casa. A mãe do menino passou mal, desmaiou e agora está lá em cima, com o médico...

A paciência de Andrade estava cada vez menor:

— Então alguém pode me dizer, por favor, o que aconteceu por aqui?

— O menino chegou direitinho — continuou a governanta. — Tomou um banho e depois saiu para dar uma volta de bicicleta. Quinze minutos depois, eu ouvi a campainha. Vim atender, e não tinha ninguém na porta. Só encontrei o bilhete junto da bicicleta caída no gramado...

— O bilhete? Que maldito bilhete é esse?

Um dos policiais estendeu um grande envelope plástico, onde estava guardado um papel.

— *Este* bilhete, detetive...

Andrade pegou o envelope plástico. Dentro dele havia um papel amarelo coberto por frases recortadas de jornais:

> Seu filho **está** *em* NOSSO poder
> **Não** *chamem* **a polícia** nem **a** imprensa
> Do contrário **seu** filho **nunca**
> Voltará com VIDA
> Aguardem contato telefônico

No fim do bilhete, Andrade tremeu, ao ler estas iniciais:

— Maldição! O Doutor Q.I.!

11. Um anão disforme

Era fim de tarde.

O sol, que queimara o asfalto durante todo o dia, recolhia-se agora tingindo o céu de vermelho, laranja e amarelo.

Poucos estudantes ainda circulavam pelo Colégio Elite. Aqueles que ainda faziam provas de recuperação ou estudavam para elas.

Junto à sombra da marquise da entrada, ao lado das folhagens do belo jardim do colégio, uma figura ocultava-se.

Se qualquer dos estudantes percebesse aquela presença, na certa se assustaria.

Era uma figura disforme. Um anão horrendo. Corpo deformado e recurvo, rosto empelotado, barba rala, olhos miúdos e argutos. O nariz entortava-se sobre lábios grossos e dentes miúdos, muito brancos. Um pequeno chapéu cobria-lhe os cabelos, que não viam água há muito tempo.

O anão esperava.

* * *

Toda a imprensa abria seus espaços para a cobertura dos crimes surpreendentes do dia. As emissoras de televisão e de rádio não cansavam de procurar notícias novas para informar seu público, com uma avidez maior que a dos policiais:

"O bilhete dos sequestradores traz uma estranha assinatura, senhores telespectadores: as iniciais Q.I. O que significaria isso? As iniciais de um nome? Uma sigla como 'C.V.', do Comando Vermelho? Até agora nossa reportagem ainda não conseguiu melhores informações da polícia..."

...

"Há uma porção de perguntas ainda não respondidas, senhores ouvintes. Por que sequestrariam apenas uma das testemunhas do caso do doutor Bartholomew Flanagan, o menino Chumbinho? E por que foi disparado apenas um tiro, ferindo gravemente uma professora, dona Iolanda Negri, que estava justamente ao lado do menino também posteriormente sequestrado?"

...

"O cônsul americano, na capital, está preocupadíssimo. O sequestro de um importante cidadão de seu país repercutiu negativamente na Casa Branca. Soubemos que o presidente americano ligou para Brasília e falou diretamente com nosso presidente, pedindo severas e urgentes providências..."

...

"Nossa reportagem acabou de saber que, nos próximos minutos, pousará um jatinho do FBI, trazendo dois agentes especiais, encarregados de ajudar a polícia brasileira nas investigações..."

...

"Acabamos de entrevistar um especialista em organizações criminosas, senhores ouvintes. Segundo ele, 'Q.I.' pode significar 'Comando Internacional', uma nova facção de criminosos. Ainda de acordo com a opinião desse especialista, os bandidos, semianalfabetos, escreveriam 'Comando' com 'Q' e não com 'C'..."

* * *

— Quanta besteira! Besteira, besteira! — falou Crânio para si mesmo, desligando o rádio. — E é Chumbinho! Ai, Chumbinho! Preciso...

Correu para o telefone, mas a campainha do aparelho tocou antes que ele pegasse o fone.

Crânio tremeu. Era Magrí. Já sabia da volta da menina pelo telefonema de Chumbinho, no aeroporto, mas ouvir aquela voz deixou-o sem fala.

— Emergência máxima. Em meia hora.

Não havia o que discutir.

— C-certo, Magrí...

Crânio desligou o telefone e saiu apressado para o Colégio Elite.

* * *

Depois do telefonema de Chumbinho, Calu não pudera ir ao ensaio do "Escorial", do belga Michel de Ghelderode. O diretor da peça compreenderia. Também, se não compreendesse, problema dele. As preocupações de Calu eram maiores do que seu amor pelo teatro.

Precisava pensar, pensar... decidir... Chumbinho o convocara por telefone para uma emergência máxima e ele respondera que não tinha mais nada com isso. Seu sangue, o sangue de um Kara, fervia nas veias.

Suas dúvidas foram interrompidas pela televisão, com a notícia do sequestro de Chumbinho.

— O quê?! Chumbinho sequestrado?! Dane-se nossa briga! Eu vou...

Sua decisão já estava tomada quando Magrí telefonou.

— Emergência máxima, Kara. Em meia hora, Calu.

— Certo.

* * *

Miguel acabava de chegar em casa, depois do treinamento dos monitores de acampamento. Não sabia dos desdobramentos do caso da Droga do Amor. Não sabia do sequestro de Chumbinho.

Atendeu o telefonema de Magrí.

— Emergência máxima. Em meia hora, Kara.

A segurança do ex-líder dos Karas abalou-se.

— Ma-Magrí! Você está ligando dos Estados Unidos?

— Não. Estou de volta.

— Mas o que houve? O Campeonato de Ginástica Olímpica ainda não...

— Não temos tempo para explicações, Miguel. Emergência máxima.

Aquela voz, aquela convocação... Miguel esforçou-se para recuperar o controle. Chegara ao momento mais difícil de sua encenação. Era preciso manter-se firme:

— Escute, Magrí, desculpe. Não sei se você já falou com Chumbinho, mas eu estou fora diss...

— Cale-se. Chumbinho foi sequestrado.

— Estou indo.

* * *

Magrí tinha sido a primeira a chegar. Com diferença de minutos, um a um, os outros três Karas surgiram pelo alçapão do vestiário do Colégio Elite.

Miguel fechou a rodinha formada pelos amigos ajoelhados no forro.

O sol, descendo no horizonte, jogava seus raios horizontalmente através das poucas telhas de vidro e já não os iluminava.

No escuro, Miguel falou, com segurança:

— Não temos tempo a perder. Magrí, diga tudo o que sabe.

Magrí sentiu que aquele rapaz era novamente o comandante dos Karas.

* * *

Uma sombra disforme e torta galgava silenciosamente o telhado do vestiário do Colégio Elite.

Arrastou-se sem ruído até bem perto das telhas de vidro e tirou do bolso um estetoscópio.

Com as hastes nos ouvidos, colou o estetoscópio na fresta de duas telhas.

Enquanto o anão ouvia, seus lábios contorciam-se em um sorriso torto.

* * *

Magrí usava sua incrível capacidade de síntese. Sem omitir nenhum detalhe, narrou todos os lances de sua chegada ao aeroporto, do sequestro do doutor Bartholomew Flanagan, do tiro que atingira dona Iolanda, das conversas entre Andrade e o doutor Hector Morales, da fuga do Doutor Q.I. da penitenciária e, por fim, do misterioso sequestro de Chumbinho e do bilhete encontrado ao lado da bicicleta do menino.

— Por que o Doutor Q.I. assinaria o bilhete?

— Acho que é uma forma direta de nos ameaçar, Crânio — raciocinou Magrí. — Ele quer que nós saibamos de sua fuga. Que ele está atrás de nós...

— E um dos Karas já está em poder dele... — concluiu Calu, com um tom desolado na voz.

Uma imensa pausa silenciou os quatro Karas.

O desafio era de arrasar. Nenhum deles ousava falar, mas cada um pensava que, se o Doutor Q.I. achava Chumbinho uma testemunha importante, não seria um resgate que ele pediria. Cada um deles procurava afastar do pensamento a dolorosa ideia de que o caçula dos Karas, àquela hora, já podia estar morto...

Miguel levantou a cabeça:

— Vamos agir. Nem a vida de Chumbinho nem a nossa valem nada enquanto o Doutor Q.I. estiver fora da cadeia. Precisamos do Andrade. Ele tem de nos ajudar.

— Andrade? — riu-se Calu. — Ora, ele parece um pai! Ou uma mãe... Vive dizendo que a gente não deve correr riscos, que tudo deve ficar somente a seu cargo...

Miguel cortou:

— Ele vai ter de mudar de ideia. Ligue para ele, Magrí. Diga que tem uma informação importante que só pode ser passada para ele, sem testemunhas. No Parque do Ibirapuera, na primeira hora da manhã!

Ali estava de novo o líder dos Karas.

Levantaram-se, prontos para sair do esconderijo secreto, e hesitaram por um momento, fitando um ao outro na escuridão.

Miguel olhou fundo nos olhos de Magrí, como se pudesse enxergar sua luz na escuridão:

— A última prova do Campeonato Mundial de Ginástica Olímpica vai ser amanhã, Magrí. Por que você voltou antes?

Magrí nada respondeu. Seu rostinho girou, encarando as sombras daqueles três garotos que ela adorava. E que ela sabia que a adoravam. Seus três Karas... Suas três "Chiquitas"...

Juntos, cada um podia sentir o calor excitado do outro. Cada um podia sentir pulsar o coração dos outros. Três corações pulsando por Magrí. O coraçãozinho de Magrí pulsando forte pelos três. Porém, mais forte ainda por *um* dos três...

De repente, como se tivessem combinado, os quatro abraçaram-se com força, misturando suas vontades, sua amizade, sua coragem, seu amor...

Ali estavam de novo os Karas, reunidos.

Nada poderia separá-los.

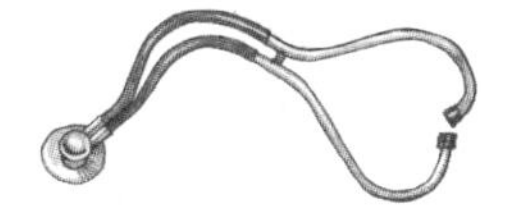

12. Por todos os sofrimentos do mundo

A noite já estava avançada e a sala da Central de Polícia, cheia da fumaça dos cigarros consumidos na reunião.

Andrade não fumava. O que ele sentia, naquele momento, era a garganta e os olhos ardentes da fumaça dos outros. E uma fome desesperada.

Um guarda saiu para buscar sanduíches. Três para Andrade e um para cada participante da reunião: o doutor Hector Morales, o diretor da Penitenciária de Segurança Máxima, mais dois homenzarrões altos e corpulentos e uma senhora magrinha que estava lá como intérprete, já que os dois grandalhões não entendiam uma palavra de português.

Os dois tinham chegado ao entardecer, e Andrade estranhou quando foi apresentado a eles pelo cônsul dos Estados Unidos:

— Estes são nossos especialistas em sequestros do Federal Bureau of Investigation, o FBI, como o senhor sabe, detetive Andrade. Este é o agente Patrick Lockwood...

— Parece nome de tira de seriado! — resmungou Andrade, sabendo que os agentes não entendiam português.

— Ah, ah, boa piada, detetive Andrade! E este outro é o agente Iúri Mikhailevich...

— Iúri o quê?! — perguntou o detetive, já meio incomodado pela interferência estrangeira na sua investigação. — Isso não é nome russo?

— Bem... quer dizer... — gaguejou o cônsul. — É que Iúri era da KGB, a polícia secreta dos soviéticos. Mas, como a União Soviética não existe mais, ele veio procurar emprego nos Estados Unidos. O pessoal da CIA, a nossa polícia secreta, recomendou-o muito bem. Daí, resolvemos aproveitá-lo no FBI...

"Esses americanos são uns malucos!", pensou Andrade, no início da reunião.

— Até agora não conseguimos descobrir como o Doutor Q.I. fugiu da nossa prisão — começou o diretor da Penitenciária de Segurança Máxima. — Ele não deixou pista alguma. Não há portas arrombadas, não há grades cerradas, os computadores que controlam as celas e as saídas estão intactos, ninguém parece ter sequer se aproximado das cercas e das portas eletrificadas. Só o que sei é que o homem não está mais lá dentro. Sumiu como um fantasma!

A mulher magrinha traduziu rapidamente para o inglês. O agente Patrick Lockwood fez uma expressão forçadamente inteligente e balançou a cabeça.

— *Well... that's our number one suspect...*[3]

Iúri Mikhailevich perguntou:

— *Shtó?... Oh, izvinítie... Me sorry... Iá nitchevó nhe panimáiu... Me not underrrstand verry vell...*[4]

O russo ainda não havia aprendido inglês direito, e a mulher magrinha teve de repetir tudo, bem lentamente, até que Iúri Mikhailevich demonstrasse ter entendido.

— Pelo jeito, a segurança da sua penitenciária não é tão máxima assim, não é, diretor? — provocou Andrade.

O diretor mexeu-se na cadeira, ofendido:

— Detetive Andrade, eu lhe garanto que o modo de sair da penitenciária que eu dirijo é pela porta da frente, com um alvará de soltura. Só que nenhum dos sentenciados que estão lá poderá ser solto antes de cinquenta anos. Assim, a única maneira de sair da Penitenciária de Segurança Máxima é com um alvará de transferência para outro presídio. Não conheço outro modo!

Andrade levantou-se e caminhou pela sala, praguejando:

— Diabo! O jeito vai ser interrogar todos os guardas, todos os prisioneiros...

— Meus guardas e carcereiros estão às suas ordens, detetive — ofereceu o diretor. — Mas duvido que os prisioneiros informem qualquer coisa ao senhor. Lá dentro estão as maiores feras do nosso Estado. Se somarmos todas

---

[3] — Bem... Esse é o nosso suspeito número um...

[4] — O quê?... Oh, desculpe... Desculparr mim... Eu não estou entendendo muito bem... Mim não estarr entendendo dirreito.

as penas que cada um deles tem a cumprir, vai dar mais de duas vezes toda a Era Cristã...

— Precisamos descobrir como o Doutor Q.I. fugiu — insistia Andrade. — Precisamos de pistas! Precisamos pelo menos de uma ponta da meada, para que eu possa começar a puxar...

A conversa emperrou mais um pouco, até que a intérprete traduzisse o que estava sendo dito e até que o russo entendesse pelo menos por alto.

— *Shtó? Vhat? Shtó on skazal?*[5]

* * *

A porta se abriu e Andrade olhou ansiosamente. Na certa eram os sanduíches...

Não eram. Era outro guarda.

— Telefone para o senhor, detetive Andrade.

— Eu já não disse que não podemos ser interrompidos?

— Desculpe, detetive... Ela disse que é sua sobrinha. E que é urgente... Na linha dois...

"Magrí, só pode ser Magrí!", pensou Andrade, pedindo licença para atender na outra sala. Não queria falar com Magrí na frente daquelas pessoas.

Pegou o fone e apertou a tecla da linha dois. Era Magrí.

— O que você quer, minha querida? Estou numa reunião muito importante e...

---

[5] — O quê? O quê? O que ele disse?

— Andrade, precisamos falar com você!

— É sobre o Chumbinho? É claro que é sobre o Chumbinho! Não se preocupe, minha querida, estamos tomando todas as providências e...

O detetive argumentou de todas as maneiras, mas era impossível vencer a teimosia e a argumentação de Magrí. Principalmente a teimosia.

Acabou concordando. Na manhã seguinte, cedinho, no Parque do Ibirapuera. Ele estaria lá.

"Ah, esses meninos!", pensava ele, ao desligar.

* * *

Quando voltou para a sala, os sanduíches e algumas garrafas de refrigerante já estavam sobre a mesa.

O calor e a fome eram grandes, e todos interromperam a reunião com prazer.

Depois de devorar seus três sanduíches, no mesmo tempo que Hector Morales levou para comer apenas um, Andrade perguntou:

— E o doutor Bartholomew Flanagan? Como é ele, doutor Morales? Quando os sequestradores telefonarem novamente, vamos pedir uma prova de que o cientista ainda está vivo. Para isso, preciso saber de detalhes da vida e da personalidade dele, para que a gente possa criar algumas perguntas que só ele possa responder...

— O doutor Bartholomew Flanagan? — começou Morales. — Oh, eu o conheço muito bem! Ele...

A senhora magrinha acabava de traduzir para os agentes do FBI o que Andrade e Morales conversavam quando o agente Patrick Lockwood levantou seu corpanzil e veio de lá com um envelope na mão:

— *Here you are, detective. We brought everything we need to know about Doctor Bartholomew Flanagan. Here is some photos and here is a paper with a briefing about his life...*[6]

Dessa vez foi Andrade que não entendeu nada:

— O que ele disse?

A intérprete traduziu:

— Ele disse que o FBI tem toda a ficha do doutor Bartholomew Flanagan. Trouxe algumas fotos e um resumo da vida dele...

Andrade pegou o envelope. Havia várias fotos. Em várias delas, o cientista aparecia sorridente, de bermudas e óculos escuros. Andrade leu atrás das fotos. Algumas eram da Praia de Tampa, na Flórida, outras de Acapulco, no México, e as mais bonitas eram de Honolulu, no Havaí.

Olhou as duas folhas de computador que acompanhavam as fotos e estendeu-as para a senhora magrinha.

— Traduza, por favor.

A mulher ajeitou os óculos e traduziu.

[6] — Aqui está, detetive. Nós trouxemos tudo o que precisamos saber sobre o doutor Bartholomew Flanagan. Aqui estão algumas fotos e uma ficha com um resumo sobre sua vida.

— Bartholomew Sayre Flanagan. Nascido em 1939, em Augusta, na Geórgia. Apelido de infância: Bimbow. Doutorado em ciências biomédicas por Harvard. Principal cientista da Drug Enforcement. Casou-se com Mildred Malloy Flanagan em 1963. Enviuvou em 1982. Sem filhos. Mora na Praia de Malibu, na costa oeste. Costuma passar suas férias nas praias da Flórida, no México ou no Havaí. Foi surfista quando jovem...

— *Shtó? Vhat?* — perguntava o russo. — *Izvinítie... Iá nitchevó nhe panimáiu... Me not underrstand...*[7]

Depois que a intérprete terminou de traduzir os registros do FBI sobre o cientista sequestrado, e de tentar esclarecer alguma coisa para o agente russo, Andrade voltou-se para Hector Morales:

— Um folgadão, esse doutor Flanagan! Que vidão esses cientistas americanos levam! Malibu, Havaí, Acapulco, Flórida!

Hector Morales concordou:

— É verdade. Flanagan sabia levar a vida, quando conseguia tirar férias. Mas, no trabalho, era o mais compenetrado e competente de todos os cientistas da Drug Enforcement. Encontre-o, detetive Andrade. Ele tem de estar inteiro, para ganhar o Prêmio Nobel pela descoberta da cura para a praga do século!

— A Droga do Amor...

---

[7] — O quê? O quê? Desculpe... Eu não estou entendendo direito... Mim não entender...

— *Shtó? Shtó? Vhat? Vhat?*[8] — perguntava o russo, que não entendia uma vírgula de tudo o que estava acontecendo.

* * *

Antes de ir para casa, Magrí tomou um táxi e rumou para o hospital. Precisava de notícias de dona Iolanda.

Era um hospital particular, pequeno, um dos mais bem equipados da cidade.

Um carro negro estava discretamente estacionado em frente. Encostados no capô, dois homens conversavam.

Magrí empurrou a porta de vidro e entrou no saguão do hospital.

Uma recepcionista estava meio oculta atrás de um balcão.

— Boa noite — cumprimentou Magrí. — Eu queria visitar Iolanda Negri.

A mulher levantou a vista. Pelo jeito, estava de muito mau humor por ter de cumprir aquele plantão noturno. Respondeu, carrancuda:

— A paciente está na Unidade de Terapia Intensiva. Visitas proibidas.

— Mas a senhora nem olhou na lista. Como sabe que...

— Não insista, mocinha. Boa noite.

---

[8] O quê? O quê? O quê? O quê?

Magrí não desistia.

— Olhe, moça. Então eu queria falar com algum dos médicos encarregados de cuidar dela...

A mulher olhou para Magrí de novo.

— Um momento.

Sua mão desapareceu sob o balcão. Devia ter acionado uma campainha, pois logo apareceu um homem sorridente, todo de branco, estetoscópio pendurado no pescoço.

— Pois não?

— Esta mocinha quer saber notícias da paciente baleada que está na UTI — informou a recepcionista, de maus modos.

O médico sorriu:

— Sim? Você é filha da paciente?

— Não. Sou aluna dela. Ela é minha amiga...

O médico aproximou-se de Magrí, afavelmente. No entanto, sua expressão era séria.

— Olhe, mocinha, sua professora foi baleada seriamente. Ela se encontra em coma profundo. Mas ela está sob os cuidados da melhor equipe médica. Estamos fazendo de tudo. Talvez, em vinte e quatro horas, ela comece a reagir. Confie em nós.

No táxi, de volta para casa, Magrí deixou-se chorar. Por dona Iolanda, por Chumbinho, pelo amor dos Karas, por todos os sofrimentos do mundo...

* * *

O jardim da casa de Magrí estava escuro. Árvores altas sacudiam docemente os ramos sob a brisa da noite de verão.

Nas sombras, um vulto. Um vulto pequeno, recurvado.

Como um felino noturno, o vulto arrastou-se cuidadosamente na direção da janela iluminada.

Dentro do retângulo de luz que vinha da janela aberta, Magrí entrava no quarto e jogava-se na cama, sem apagar a luz. Pelo jeito, ainda chorava.

Apoiando suas pequenas mãos deformadas no parapeito da janela, o vulto ergueu a cabeça.

Os olhos argutos do anão invadiram o quarto.

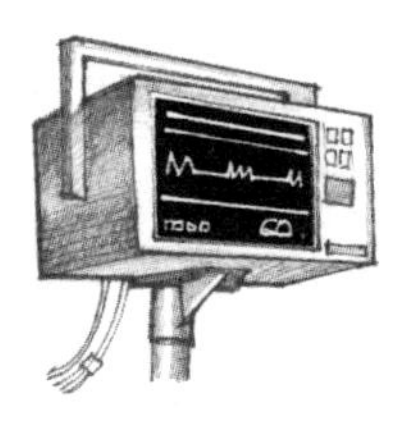

13. Coitadinha! Quase uma criança!

As cores da manhã ainda procuravam firmar-se. No Parque do Ibirapuera, a temperatura estava uma delícia.

Sob uma árvore, meio aglomeradas em um banco, cinco pessoas conversavam, alheias aos que aproveitavam a manhã para uma corrida e que de vez em quando passavam bufando.

Andrade sentia-se incomodado, informando àqueles quatro adolescentes uma série de detalhes da investigação que deveriam permanecer em sigilo. Mas como resistir aos seus meninos? E o detetive sabia que eles eram realmente especiais e que corriam perigo de vida com o Doutor Q.I. à solta. Como não preveni-los?

Tirou do bolso o envelope que recebera do agente Patrick Lockwood. Magrí abriu-o e folheou as fotos.

— É... é esse homem mesmo. Era ele que estava junto com o doutor Morales, no avião. Foi ele que os bandidos levaram à força, no saguão do aeroporto.

— O criador da Droga do Amor! — admirou-se Calu.

Os Karas já tinham extraído tudo o que o detetive sabia, tudo o que relatara o diretor da Penitenciária de Segurança Máxima, tudo o que informara o doutor Hector Morales e o nada que os investigadores sob o comando de Andrade tinham conseguido no dia anterior.

— É preciso agora encontrar um ponto de partida — começou Crânio. — Vamos pensar de novo em tudo e procurar a linha lógica. Ontem, no rádio, eu ouvi um comentarista que era menos idiota do que a média. Ele apontou uma série de perguntas sem respostas. Em primeiro lugar, por que o sequestro de Chumbinho? O que Chumbinho teria a ver com o doutor Bartholomew Flanagan? O que Chumbinho teria a ver com a Droga do Amor?

Magrí levantou os braços, criticando o amigo:

— Ora, Crânio! Você está esquecendo que quem está por trás de tudo é o Doutor Q.I.? Quando ele soube que eu e Chumbinho estávamos no aeroporto e que eu vim no mesmo avião que o cientista, resolveu tomar uma providência para nos assustar...

— Humm... — fez Calu. — Não me parece muito lógico...

— É claro que é lógico! — insistiu a menina. — Ele quer vingar-se da gente, não quer? Então vai pegar todos nós, um a um!

— Bem, isso é bastante lógico — concordou Andrade.

— Outro ponto que parece coincidência demais é o furto da bolsa da Magrí — continuou Crânio. — Terá sido algum espertinho que se aproveitou da confusão? Mas como pode um ladrãozinho agir enquanto está acontecendo um tiroteio?

— Ora, Crânio! — riu-se Andrade. — No aeroporto, ocorrem pequenos furtos o tempo todo! Todos os dias há algumas ocorrências. Bagagens perdidas, coisas assim...

— Bom, gente — decidiu Miguel. — O sequestro do doutor Flanagan é um acontecimento mundialmente grave. Meu medo é que todos os esforços se concentrem nele, e Chumbinho acabe esquecido. Chumbinho é *nosso* problema. Temos de agir, depressa!

— Espere aí, Miguel! — interrompeu Magrí. — Tudo é obra do mesmo Doutor Q.I. Se conseguirmos salvar o peixe grande, que é o doutor Bartholomew Flanagan, salvaremos também o nosso peixinho. Vamos nos concentrar no cientista!

— O que é isso, Magrí? — espantou-se Calu. — Você propõe que a gente só pense no cientista? Que história é essa? É do Chumbinho que nós estamos falando!

— Escute aqui, Calu: ninguém gosta mais do Chumbinho do que eu!

— Calma, pessoal! — pediu Crânio. — Não se trata aqui de disputar quem gosta mais de quem...

Sem conseguir conter o impulso, Calu encarou Miguel. Magrí olhou para longe.

— Voltemos aos pontos obscuros — continuou o geninho dos Karas. — Por que deram apenas um tiro no aeroporto? Por que balearam só a dona Iolanda? Se pelo menos tivesse havido um tiroteio, e ela recebesse uma bala perdida, ainda daria para aceitar, mas...

— Eu também não consigo entender esse ponto — reforçou Magrí. — Que ligação especial poderia ter dona Iolanda com o caso? Com o doutor Bartholomew Flanagan? Ela, eu e outras centenas de passageiros viemos no mesmo voo. Por que só ela?

— Porque ela foi a primeira a gritar — palpitou Andrade. — Não foi isso o que você supôs, Magrí?

— Pode ser, Andrade, pode ser...

* * *

Por trás do banco onde os cinco amigos discutiam, uma moita de azaleias erguia-se alta, começando a sombrear os cinco.

No meio da moita, escondia-se o anão.

Destacando-se na cara empelotada, ainda mais sinistra sob a luz do sol, os olhos argutos do anão apertavam-se, ouvindo a conversa.

* * *

— Se dona Iolanda não foi baleada acidentalmente — continuava Crânio —, se o tiro foi proposital, qual teria sido a razão? Será que ela reconheceu algum dos bandidos, alguém que estivesse dentro do avião, por exemplo?

— Acho que não, Crânio — respondeu Magrí. — Os sequestradores estavam esperando os passageiros no saguão.

— E se dona Iolanda, por acaso, reconheceu algum deles? Alguém que ela já conhecia?

— Pode ser. Como vamos saber?

— Perguntando para ela, ora!

Magrí encolheu os ombros.

— Tentei falar com dona Iolanda ontem à noite. Ela não pode receber visitas. Falei com o médico que está tratando dela.

— Então temos de entrar lá usando a cabeça, gente! — decidiu Miguel. — Eu tenho um plano...

Andrade, sem querer, deixava-se envolver pelo entusiasmo e pelo raciocínio dos seus meninos. Sorrindo, olhava para cada um e apenas ouvia. Com orgulho, ouviu Miguel apresentar detalhadamente seu plano de invasão do hospital, até o momento em que o rapazinho estava quase terminando:

— ... e aí, Andrade espera Magrí com o fusquinha perto do hospital e...

Nesse momento, Andrade despertou para o absurdo da situação em que estava se deixando enredar:

— Ei! Pare aí! Que negócio é esse? Vocês não passam de crianças! Acham mesmo que eu vou deixar que vocês se arrisquem desse jeito? Estão muitíssimo enganados! Nem por cima do meu cadáver!

* * *

O fusquinha entrou na curva cantando os pneus e brecou na frente do hospital.

De dentro do carro, dirigido por um homem gordo, suado, saiu um casalzinho. A mocinha gemia e andava com dificuldade, apoiada num rapaz que teria no máximo a mesma idade dela. O homem gordo saiu apressado, deixando a porta aberta, e pegou a mão da moça, com uma expressão compungidíssima.

— Ai, ai... acho que não vou aguentar, papai...

Sua barriga estava enorme. O vestidinho erguia-se na frente, apertado, quase rasgando.

— Depressa! — pediu o homem gordo para o primeiro atendente que encontrou no saguão do hospital. — Minha filha! Está em trabalho de parto! Depressa, por favor!

A mocinha, gemendo, foi colocada em uma cadeira de rodas e levada às pressas para dentro.

— Pode deixar conosco, senhor — disse a recepcionista, por trás do balcão. — Vamos já chamar o obstetra. Sua filha está em boas mãos. Quer preencher a ficha?

Uma senhora, à espera no saguão, balançou a cabeça:

— Coitadinha... Quase uma criança... Deve ser mãe solteira...

E olhou com cara feia para o rapaz que, ao lado do pai da moça, demonstrava-se sem jeito, com cara de culpado.

— Esses homens... — rosnou a senhora. — Desde jovens só querem se aproveitar das moças... Depois, olha aí!

* * *

Atrás do hospital, o anão arrastava-se por uma viela. Torto como uma aranha, escondeu-se atrás de uma pilha de caixas de papelão que provavelmente aguardavam a chegada do lixeiro.

Imóvel, parecia esperar.

* * *

Magrí foi deixada em uma sala no andar térreo. Deitaram a menina numa cama.

— Tenha calma, minha filha — uma enfermeira passou-lhe a mão pela testa. — Respire fundo. O médico já vem aí...

— Ai, ai... está bem...

A porta da sala ficou aberta. Magrí viu uma maca sendo arrastada no corredor.

— Pode deixar aqui a maca — disse uma voz. — Esta paciente já está sedada. A Matilde vai levá-la para a sala de operação. É apendicite...

Magrí levantou-se sorrateiramente da cama. Tirou um grande travesseiro de baixo do vestido e, agachadinha, foi até o corredor, ocultando-se atrás da maca com a mulher que ia ser operada de apendicite.

Rapidamente, levantou a camisola da mulher e pôs o travesseiro sobre a barriga da anestesiada.

"Pronto! Eles vão tomar um sustinho lá na sala de operações. Ah, eu queria ver a cara deles quando o médico levantar a camisola dessa coitada para a operação..."

Havia uma escadinha, dando para o subsolo. Magrí desceu. Era um depósito e também uma espécie de vestiário das serventes do hospital.

Vestiu rapidamente um uniforme amarelo, amarrou um lenço na cabeça, ocultando o rosto ao máximo, pegou uma vassoura e subiu de novo as escadinhas.

"Muito bem. A hora da faxina deve ser mais cedo. Mesmo assim, acho que ninguém desconfiará de uma servente andando pelos corredores."

Ao entrar no hospital, enquanto gemia, a menina teve tempo de descobrir qual era o andar da UTI, ao examinar o quadro dos setores do hospital, pendurado na parede atrás da recepcionista.

"Ainda bem que essa é outra. Se eu encontrasse a mesma recepcionista de ontem à noite, quando estive aqui tentando visitar dona Iolanda, na certa ela me reconheceria..."

Evitou os elevadores. Era mais seguro pelas escadas.

14. Você precisa viver, meu amorzinho!

A UTI ficava no último andar.

Magrí entrou no longo corredor de cabeça baixa, varrendo os cantos, de modo que seu rosto ficasse protegido de qualquer olhar.

Com o canto dos olhos, viu, em frente a uma porta, dois homens em pé, apoiados na parede. Dois gorilões.

Por que dois homens estariam ali, guardando apenas uma das portas? Seriam seguranças protegendo algum político internado?

Magrí duvidou:

"Aposto que aquele é o quarto onde está dona Iolanda... E esses só podem ser homens do Doutor Q.I.! O que querem com a minha professora?"

Precisava pensar no que fazer. Abriu a primeira porta e entrou.

Era um quarto grande, e as luzes estavam apagadas. As cortinas filtravam um pouco da claridade da manhã.

A menina olhou para o retângulo de vidro da porta que fechara atrás de si. E, pelo lado contrário, leu o que estava escrito:

OTИƎMAJOƧI — JITИAꟻИI AJA

Logo abaixo, lá estava a sinistra sigla da praga do século...

Magrí sentiu o coração apertar-se.

Aproximou-se de um dos berços.

Um bebê dormia. Pouco mais de um ano de idade, talvez dois... Um esqueletinho, coberto por manchas vermelho-escuras. Respirava com dificuldade. Tubos espetavam-se em seus braços.

"Essa criança nunca mais vai brincar... Perdeu a chance de descobrir o mundo, de fazer parte dele... Ai! Por quê? Por que ela foi amaldiçoada? Por que a morte tem de levar esse bebê? O que essa criança fez para merecer isso?"

Esquecendo-se por um momento do que viera fazer ali, a menina debruçou-se sobre o berço e beijou ternamente o rostinho magro, adormecido.

"Meu amorzinho... Viva, por favor! Como alguém pode roubar o soro que poderia fazer você sorrir de novo? Que poderia fazer você brincar novamente com as outras crianças? Como pode alguém ser tão cruel? Como pode alguém pensar em lucrar com a sua morte? Por que, queridinho? Por quê?"

Magrí chorou sobre o bebê, como se o sal de suas lágrimas pudesse arrancar aquela praga que destruía uma vida como aquela, tão tenra, tão inocente...

"Ah, meu queridinho! Eu tenho de lutar! Eu não posso deixar você morrer! Você precisa da Droga do Amor, porque este mundo precisa do seu amor, da *sua* vida! Este mundo será pior, mais feio, mais vazio se você morrer... Eu nem sei como é o seu nome. Talvez eu nunca pudesse ver você crescer, tornar-se adulto, mas eu *preciso* que você viva!"

Levantou-se, decidida.

* * *

Magrí afastou ligeiramente as cortinas de uma das janelas da sala de isolamento infantil. Abriu a vidraça e olhou.

"Pelo meu cálculo, a janela do quarto onde deve estar dona Iolanda é a décima, a partir desta..."

Uns quinze metros separavam a janela da rua, lá embaixo. Examinou a parede. Uma saliência de uns cinco centímetros percorria toda a fachada, um metro abaixo da linha das janelas.

"Muito bem. Se eu imaginar que estou no Campeonato Mundial de Ginástica Olímpica, apoiar os pés na saliência e agarrar-me aos parapeitos das janelas, acho que vai dar..."

No campeonato, Magrí adorava plateias cheias, aplaudindo suas *performances*. Mas, naquele caso, qualquer espectador lá embaixo acharia muito estranha uma demonstração de ginástica olímpica nas paredes de um hospital.

Do outro lado da rua, dois homens de terno estavam encostados em um carro escuro. Pareciam parentes dos dois gorilões que guardavam a porta do quarto.

O sol abrasava, batendo em cheio naquela parede do hospital. Qualquer um dos dois homens, ou algum passante, se levantasse os olhos, iria assistir a toda a acrobacia que a menina pretendia fazer para chegar até o quarto de dona Iolanda.

Um pouco mais longe, na esquina, o fusquinha de Andrade estava estacionado, esperando.

Magrí pegou um abajur de cabeceira, acendeu-o e tapou sua luz com um pequeno travesseiro.

Pela cortina entreaberta, mostrou a luz acesa. Tapou-a de novo, destapou-a, tapou-a, destapou-a...

* * *

Dentro do fusquinha, Miguel chamou a atenção dos outros:

— Vejam! Naquela janela!

Andrade, Crânio e Calu olharam. Uma luzinha piscava intermitentemente atrás das cortinas.

— É Magrí — sorriu Crânio. — Que danada! Está transmitindo em Código Morse!

— Fique quieto! Estou tentando traduzir!

— Vocês conhecem o Código Morse? — espantou-se Andrade, como se ainda houvesse alguma coisa naqueles garotos que pudesse surpreendê-lo.

— Um curto, dois longos...

— Peguei! — disse Crânio. — "Não deixem ninguém olhar para cima." Ah, ah! Ela está dizendo para a gente dar um jeito de distrair as pessoas da rua! Vai aprontar uma das boas!

— Calu — comandou Miguel. — Você é o ator. Esse é um trabalho para você.

— Certo, Miguel.

Andrade não estava entendendo nada.

— Ué... Que besteira é essa? Que negócio é esse de não olhar para cima? O que é que tem a ver as pessoas na rua? O que é que o Calu vai fazer?

Crânio pôs a mão no ombro do detetive.

— Andrade, acho que é melhor você também não olhar para cima nos próximos dez minutos...

— Ai, esses meninos estão todos malucos! Onde é que eu estava com a cabeça quando deixei eles se meterem nessa confusão? Malucos! São malucos!

* * *

Crânio e Miguel saíram do carro e começaram a andar pela calçada oposta ao hospital. Conversavam despreocupadamente e deram uma paradinha quando chegaram ao lado dos dois homens do carro escuro.

Os homens nunca tinham visto aqueles rapazes e não se incomodaram com eles.

Nesse momento, vindo do outro lado da calçada, depois de dar a volta no quarteirão, surgiu Calu.

Parou e fez uma expressão furiosa, apontando o dedo para Crânio:

— Vinícius, seu desgraçado! Ainda bem que te encontrei!

Crânio mostrou-se surpreso.

— Oh, Zé Luiz...

— Que Zé Luiz nem meio Zé Luiz! Você tem de largar do pé da Vanessa Cristina! Ela é *minha* namorada!

Crânio parecia sem jeito e tentava explicar-se:

— Eu? Ora, o que é isso? Eu não tenho nada com a Vanessa Cristina...

— Mentiroso! Eu vou...

* * *

Mesmo sem entender a razão da cena, o detetive Andrade, sentado no fusquinha, divertia-se com aquilo, como um pai orgulhoso assistindo às gracinhas dos filhos.

Mas, naquele momento, o coração do detetive gelou.

Uma das janelas do quinto andar do hospital abria-se, e uma menina esbelta, com um uniforme amarelo sobre o vestido, punha as pernas para fora, dependurando-se no parapeito.

"Magrí! Não!"

O pobre Andrade não sabia o que fazer. De boca aberta, coração na mão, via a menina grudar-se na parede e arrastar-se lentamente para os lados, só com as pontinhas dos tênis apoiadas numa saliência minúscula. Um número de circo, a quinze metros do chão. E sem rede!

"Ai, não! Você vai morrer, Magrí! Não, não me mate do coração!"

Da segunda janela, Magrí repetia a operação, passando para a terceira...

* * *

Os dois homens pareciam divertir-se com a discussão dos três rapazes. Duas mulheres, carregando sacolas de compras, pararam, também observando.

Enquanto dois discutiam, o terceiro tentava conciliar, apartar o que já estava quase se tornando uma briga.

— Que é isso, gente? Deixa pra lá! Vamos conversar!

— Conversar coisa nenhuma! O que esse cara pensa, vindo aqui me tirar satisfações?

— A Vanessa Cristina é minha! É minha!

— Deixa de ser besta! A Vanessa Cristina não está nem aí pra você!

— O quê?!

O rapaz, furioso, tentou agarrar o outro pela camisa, mas acabou levando um soco.

Calu caiu para trás e começou a cena principal.

Contorcendo-se, seus olhos viravam nas órbitas e uma espuma de saliva começou a escorrer pelos cantos da boca do agredido.

— O que você foi fazer, Vinícius? Você não sabe que o Zé Luiz sofre de ataques? E agora?

— Oh, eu não sabia...

Calu contorcia-se magistralmente, e um ronco surdo saía de sua garganta...

* * *

Lá em cima, como uma macaquinha, Magrí passava de janela em janela.

Depois de atravessar quase toda a fachada do hospital, a menina agarrou-se ao parapeito onde chegara e alçou o corpo para cima.

Em um segundo, desapareceu pela janela.

Andrade não conseguia mover-se.

* * *

Uma das senhoras com sacola aproximou-se, preocupada:

— O que houve com o garoto? Vamos levá-lo para o hospital aqui em frente!

Os olhos de Calu, revirando-se, viram Magrí terminar seu número circense. Na mesma hora, parou de contorcer--se. Sacudiu a cabeça e sentou-se na calçada.

— Pode deixar, minha senhora — acalmou Miguel. — Ele já está melhorando.

"Vinícius" abaixou-se para ajudar "Zé Luiz" a levantar-se:

— Oh, desculpe, Zé Luiz... Está melhor?

— Hum... estou, pode deixar.

Os dois ajudaram "Zé Luiz" a levantar-se e caminharam para a esquina. Em pouco tempo, já tinham desaparecido.

* * *

Calu esfregava o queixo:

— Você precisava bater tão forte, Crânio?

— Realismo, Kara, isso é realismo!

— E onde é que você foi buscar esse "Zé Luiz"?

— No mesmo lugar em que você achou esse tal "Vinícius", ora! Vinícius... Que ideia!

Depois de dar a volta no quarteirão, os três Karas foram encontrar o detetive Andrade.

Dentro do fusquinha, havia um gordo homem-estátua, agarrado ao volante, de boca aberta, e branco como se tivesse visto a mula-sem-cabeça.

Esgazeados, fixos na fachada do hospital, os olhos do detetive não conseguiam nem piscar.

15. Eu te amo, desesperadamente...

Magrí entrou como um gato pela janela do quarto.

Aos poucos, enquanto seus olhos acostumavam-se com a diferença de iluminação, a menina foi percebendo a cama a sua frente. E o vulto adormecido.

Aproximou-se.

Lá estava dona Iolanda.

A menina examinou superficialmente o corpo da professora. Abaixo da axila esquerda, perto do seio, um curativo grande.

Não havia nenhum aparelho a que a professora estivesse ligada. Nem monitores para o coração, nem respiradores artificiais, nada. Apenas um tubo estava espetado na veia do braço, pingando gota a gota o líquido de um frasco pendurado em um suporte ao lado da cama.

"Não parece tão grave esse ferimento... Como é que ela pode estar em coma? O que é isso? Aqui tem alguma coisa muito estranha... Não preciso ser médica para saber que estar em coma não é isso..."

Desprendeu com cuidado um lado do esparadrapo e levantou uma ponta do curativo.

Ali estava. Um corte meio fundo, lateral. A bala não tinha penetrado no corpo da professora.

"Que história de coma é essa? Ah, preciso agir!"

Era um risco grande, mas a intuição e a inteligência da menina diziam-lhe que, se alguma coisa estava errada com dona Iolanda, só poderia ser o que vinha daquele frasco e pingava-lhe na veia.

Suspirou, respirou fundo e decidiu-se.

"Uma decisão grave. Tenho de tomá-la. Vou tomá-la!"

Olhou em volta. Sobre uma mesinha de serviço, havia vários frascos. Em um deles, estava escrito "soro fisiológico".

"Um soro inofensivo. Igual aos líquidos naturais do corpo humano. É disso que eu preciso!"

Magrí retirou do suporte o frasco que estava dependurado, com o maior cuidado. Despejou o conteúdo na pia. Lavou-o muito bem e o encheu de novo com o soro fisiológico.

Pronto. Tinha sido ousada demais. Mas Magrí era um Kara.

Sentou-se ao lado da professora e tomou-lhe a mão.

Dona Iolanda respirava bem, calmamente.

O tempo passava, parecia uma eternidade.

Até que a adormecida suspirou. Mexeu-se um pouco. Balançou a cabeça.

Era isso. Magrí estava certa. Era aquele líquido que fazia com que ela ficasse adormecida. Um coma induzido!

"Mais um crime..."

Magrí colou a boca ao ouvido de dona Iolanda:

— Dona Iolanda, sou eu, Magrí.

Com um fio de voz, a professora falou:

— Magrí...

— Fique quieta, dona Iolanda. Por favor, fique quieta. Você está me entendendo?

— S... sim...

— Ouça: você foi anestesiada, mas está bem. Seu ferimento é superficial. Tem de ficar quieta, como se ainda estivesse sem sentidos. Isso é fundamental. Você está correndo perigo, mas, em meia hora, eu vou tirar você daqui. Está me entendendo? Se alguém entrar neste quarto, finja que ainda está desacordada!

A mão da professora apertou um pouco mais a mãozinha de Magrí:

— Magrí... Ele... ele apontou para mim... ele mandou atirar... Em mim...

— Ele? Quem é ele?

— No aeroporto... ele é...

Um ruído.

Alguém começara a girar a maçaneta da porta do quarto de dona Iolanda.

* * *

Aos poucos, o detetive Andrade foi recuperando a cor do rosto. Queixava-se, quase choramingando.

— Vocês são loucos! Malucos! O que aquela menina foi fazer? E se ela caísse lá de cima? Vocês estão completamente alucinados... Querem me matar do coração...

— Não se preocupe, Andrade — acalmava Calu. — Magrí é campeã de ginástica olímpica. Ela sabe o que faz. Você pode não acreditar, mas ela não corria nenhum perigo, andando pela fachada do prédio.

— Loucos... todos loucos...

— Está na hora — lembrou Miguel. — Crânio, de acordo com o plano, você tem de estar atrás do hospital, na viela, em cinco minutos. Fique lá e, se houver alguma coisa errada, avise Magrí com os dois assobios combinados. Calu, fique na entrada da viela. Não perca tempo avaliando nada: se alguma coisa parecer suspeita, avise com os assobios.

— Certo.

— Certo, Miguel.

— São loucos... completamente loucos...

* * *

Magrí percebeu que havia outra porta na parede lateral do quarto de dona Iolanda. Uma ligação com o aposento ao lado.

Aquele aposento tinha de estar vazio!

* * *

O anão sabia que não poderia ser encontrado na viela.

Abriu uma das caixas de papelão e enfiou-se dentro dela. Com um canivete afiadíssimo, abriu um buraco no papelão.

Todo o seu corpo horrendo estava escondido. Pelo buraco, o olho arguto do anão vigiava.

* * *

O aposento não estava vazio.

Mas quem ocupava o quarto não poderia denunciar a menina.

Era um velho. Um paciente deitado. Ou não era nem mais isso. Estava morto. Provavelmente aguardando remoção para o necrotério.

Magrí tomou fôlego e percebeu que estava agora sem a vassoura. Como iria sair disfarçando, logo da porta ao lado de onde estavam de guarda os dois gorilas?

— Desculpe, senhor cadáver, mas, agora, acho que o senhor não se importa, não é? É para uma boa causa...

Com cuidado, tirou os lençóis da cama do falecido, fez uma trouxa, usando também os travesseiros e as toalhas, tomou fôlego e abriu a porta.

Os dois gorilas nem desconfiaram daquela faxineira que, do quarto ao lado, saía carregando uma trouxa de roupas sujas.

* * *

Crânio veio andando normalmente, pelo lado do hospital, até chegar à viela. Depois, entrou rapidamente, colocando-se meio na sombra, ao lado de um monte de caixas de papelão.

Dentro de uma delas, o anão encolheu-se o mais que pôde.

* * *

Magrí desceu as escadas, carregando a trouxa de roupas, e chegou ao subsolo, onde tinha conseguido o uniforme de faxineira.

No fundo, havia uma porta. Pelo seu senso de orientação, Magrí percebeu que aquela porta dava para os fundos do hospital.

"Ótimo!"

* * *

Calu encostou-se displicentemente a um poste em frente à viela.

Nesse momento, os dois homens de terno aproximavam-se pela rua lateral, em direção à mesma viela.

* * *

Magrí saiu sorrateiramente pela porta e olhou.

A cabeça de Crânio aparecia ao lado de uma pilha de caixas de papelão.

O amigo fez um gesto com a cabeça.

Tudo estava bem.

Mas, nesse momento, dois assobios curtos, fortíssimos, foram ouvidos.

Os dois homens, já entrando na viela, deram apenas uma olhada para trás. Não viram nada de mais. Não devia ser nada de mais.

* * *

Sem perder um segundo, Magrí mergulhou com Crânio no meio das caixas de papelão.

Quando os dois homens chegaram bem perto das caixas, não era possível perceber nada.

Crânio e Magrí encolheram-se.

Apenas uma folha grossa de papelão sujo separava os dois Karas do anão.

* * *

Os homens conversavam. Parecia ser sobre futebol.

Olharam em volta. Quando viram que não havia ninguém à vista, abriram o zíper da calça e aliviaram-se tranquilamente.

Os dois Karas ouviram o ruído de duas "torneirinhas" regando a parede do hospital. Crânio olhou para Magrí. A menina sorria. A situação era mesmo engraçada, depois de tanta tensão.

Magrí estava suada, excitada, depois de uma aventura tão incrível.

O rapaz continuava olhando para a menina. Ele tinha acompanhado a loucura de Magrí, ao atravessar quase toda a fachada do hospital, a quinze metros do chão. Seu olhar era de verdadeira adoração. De admiração. De um amor intenso, imenso, eterno...

* * *

Os homens, depois de urinarem, encostaram-se na parede e acenderam cigarros.

— Está um calor danado na frente do hospital... Vamos dar um tempo. Aqui é bem mais fresco. Ninguém vai aparecer por lá, nos próximos dez minutos...

* * *

Encolhidos no meio das caixas, Crânio e Magrí não podiam fazer nenhum ruído.

Estavam juntos, colados. Protetoramente, o braço de Crânio enlaçava Magrí.

Seus rostos estavam quase colados. Seus hálitos se misturavam. Respiravam o mesmo ar.

Não era possível falar, mas era perfeitamente permitido pensar o que se quisesse. E os dois bebiam-se, olhavam-se, aspiravam-se, ambos felizes pelo imprevisto que os jogara nos braços um do outro.

"Magrí... minha Magrí..."

"Crânio... meu... por um momento, ao menos, você é meu..."

Os olhinhos de Magrí fecharam-se. Os lábios de Crânio aproximavam-se, úmidos, ansiosos...

O corpo da menina relaxou-se nos braços sonhados de Crânio. Aquela verdadeira fortaleza de jovem mulher, que fora capaz de uma proeza tão incrível como a que acabara de realizar, estava agora lânguida, entregue, mole e frágil como uma gatinha.

"Por um momento, pelo menos... ah, eu quero este momento, pelo menos..."

Delicados, os lábios daqueles dois adolescentes colaram-se, intensamente, apaixonadamente...

Separado apenas por uma folha de papelão, mais mudo do que os dois, o anão ouviu sussurros. E, se aquela carantonha horrenda pudesse sorrir, era o que o anão faria...

— Eu te amo, Magrí... desesperadamente...

— Eu te amo, meu querido... eu sempre te amei...

Dessa vez o beijo foi ardente, agarrado, mágico, total...

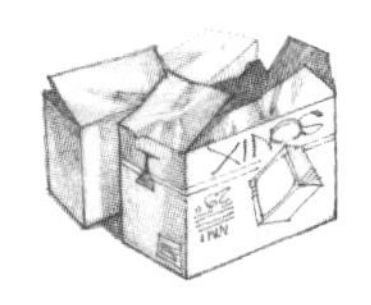

16. Esses malditos não perdem tempo!

Mal Andrade e Miguel viram os dois homens voltar da viela e colocar-se novamente junto ao carro escuro, o detetive ligou a ignição e deslizou até uma rua paralela ao quarteirão do hospital, onde o encontro de todos tinha sido marcado.

Da viela, Magrí e Crânio saíram rapidamente. Calu os esperava.

Correram para a rua combinada.

Apressados, nenhum dos três olhou para trás.

E nenhum deles viu uma figurinha disforme, torta, saindo da viela atrás deles.

Como uma aranha, feia, assustadora...

* * *

Quando chegaram ao fusquinha, o rosto de Magrí estava vermelho, em brasa. Ela pediu excitada:

— Por favor, rode, Andrade. Rode a esmo por aí. Vocês não imaginam o que eu descobri...

Em marcha lenta, Andrade procurou ruas de pouco movimento.

— Dona Iolanda é prisioneira daquele hospital. Não está em coma coisa nenhuma! O ferimento dela é superficial. Um corte queimado de bala sob a axila, perto do seio esquerdo.

— Mas ela não perdeu os sentidos, quando foi ferida, lá no aeroporto?

— Deve ter desmaiado apenas pela dor e pelo susto, Calu. Mas o maldito Doutor Q.I. não quer que ela fale. Estão mantendo dona Iolanda dopada, semianestesiada, inconsciente, com dois gorilões guardando a porta do quarto. Eu dei um jeito de jogar fora o anestésico que estava ligado à veia dela e coloquei soro fisiológico no lugar.

— Boa, Magrí!

— Eu não sou médica, mas qualquer pessoa sabe que soro fisiológico não faz mal a ninguém. Só que a gente não pode perder tempo. Logo que eles descobrirem que a tal "menininha" grávida desapareceu, vão desconfiar que alguma coisa anormal está acontecendo. E eles não são de brincadeira. Precisamos agir depressa!

— Isso é comigo! — encerrou Andrade. — Não posso invadir o hospital sem uma ordem judicial. Mas posso alegar que dona Iolanda é uma testemunha importante no caso do sequestro do doutor Bartholomew Flanagan e que precisa de proteção policial.

Pelo radiotransmissor do carro, ligou para a central e pediu uma viatura, urgente.

— Vou deixar dois guardas o tempo todo na porta do quarto da professora. Os bandidos não vão poder fazer mais nada contra ela. Só que eu não vou esperar até a chegada da viatura. Magrí e Crânio, vocês já fizeram muito por hoje. Fiquem aqui no carro, de olho na saída do hospital. Calu e Miguel, venham comigo!

Os três saíram apressados.

Nem os dois homens de terno, nem o carro escuro estavam mais em frente ao hospital.

* * *

Os três entraram no saguão.

Um médico discutia com a recepcionista. Ao ver o gordo "pai", que há pouco tempo entrara com a filha grávida, a recepcionista ficou sem jeito:

— Oh, é o senhor? Desculpe, mas a sua filha desapareceu. Não foi culpa nossa, porque...

O detetive interrompeu-a com um gesto e mostrou sua identificação de policial.

— Sou o detetive Andrade. Preciso garantir a segurança de uma paciente, que é testemunha-chave de um caso policial.

— Sua filha? — a recepcionista estava desorientada. — Mas ela desapareceu. Como é que...

— Não é a minha filha. É dona Iolanda Negri.

— Desculpe, mas o senhor não pode interferir no trat... — começou a falar o médico.

— Não vou interferir em nada. Só quero garantir a proteção dessa testemunha...

* * *

Magrí e Crânio, ansiosos, estavam sozinhos no fusca, aguardando os acontecimentos.

Sozinhos...

Magrí olhou para o garoto como se olhasse o mar e procurasse enxergar os peixes que nadam nas profundidades abissais.

O rapaz aproximou-se dela.

— Oh, Magrí...

Com delicadeza, Magrí encostou a mão no peito do rapaz, detendo-o.

— Crânio, precisamos conversar...

— Fale, querida, o que é?

— Eu te amo, sempre te amei, mas nosso amor não pode prejudicar um outro amor, maior que nós dois...

— Maior que o nosso? Nada pode ser maior do que eu sinto por você... Que amor é esse?

— O amor que une os Karas...

* * *

Acompanhados pelo médico, Andrade, Miguel e Calu pegaram o elevador para o quinto andar.

Apressado, Miguel saiu do elevador antes dos outros.

— Onde é o quarto dela?

— O quinhentos e doze.

O comandante dos Karas correu para lá.

Em frente ao quarto da UTI, não havia mais nenhum gorila de guarda.

Abriu a porta.

Dentro do quinhentos e doze, só havia uma cama vazia.

* * *

Depois da conversa, Crânio tinha uma expressão distante, como se não estivesse ali.

Os dois nada mais falavam.

Nesse momento, Crânio apontou:

— Olhe, Magrí! Acho que estão nos espionando!

— Onde?

— Já sumiu. Que coisa horrível!

— Horrível? O que é que você viu?

— Você não vai acreditar, Magrí. Era um anão horrendo!

— Um anão?!

* * *

Miguel e Calu corriam para o carro.

— Magrí! Crânio! Vocês não imaginam! Dona Iolanda desapareceu!

Crânio deu um soco no painel do carro:

— Malditos! Esses malditos não perdem tempo!

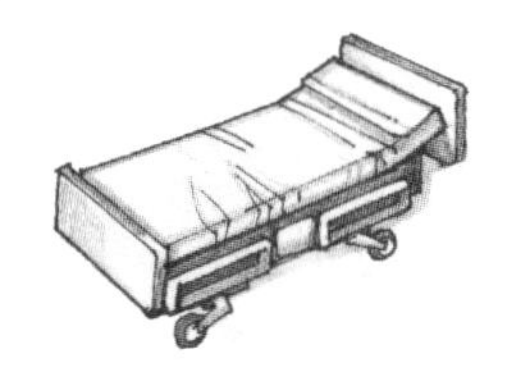

17. Na pista do Doutor Q.I.

Andrade ficou no hospital, comandando as investigações. Estava furioso, procurando pistas, interrogando todos os funcionários, enfermeiras e corpo médico. De que modo uma paciente poderia desaparecer assim, durante apenas os poucos minutos que Magrí levara para contar o que tinha descoberto no hospital?

— Para o esconderijo, Karas! — decidiu Miguel, quando ficaram sozinhos. — Vamos em táxis separados. Não quero que ninguém no Elite nos veja chegando juntos.

Magrí, exausta, com o vestido sujo de arrastar-se pelas paredes do hospital, deu uma rápida passada em casa para um banho e roupas limpas.

* * *

Numa esquina, na periferia da cidade, uma mulher esperava que um orelhão fosse desocupado. Tinha de ligar para o marido e estava com pressa.

Quando viu quem estava ao telefone público, fez uma expressão de nojo:

"Nossa! Que anão horroroso!"

* * *

Reunidos no esconderijo secreto, os Karas estavam desolados.

— Nada! Não conseguimos nada! — lamentava-se Calu.

— E ainda perdemos dona Iolanda...

Magrí sentia-se ainda pior do que os outros.

— A culpa é minha, Crânio. Se eu não tivesse me metido lá no quarto dela e trocado os soros, ela ainda estaria lá. E Andrade poderia protegê-la...

— Ora, Magrí... O que é isso? Se você não tivesse entrado lá, nós nem saberíamos que dona Iolanda precisava de proteção especial. Você não tem culpa nenhuma. Nós já sabemos que...

— O que sabemos é uma verdadeira bagunça! — reclamou Calu. — Cada coisa que acontece! Tenho certeza que aqueles dois que ficavam o tempo todo de pé, ao lado daquele carro escuro, são da quadrilha.

— Pareciam até sentinelas! — reforçou Miguel.

— E tem também o tal anão... — lembrou Crânio.

— Que anão? — perguntou Miguel.

— Um sujeitinho horroroso, que eu vi de relance, perto do hospital. Sinistro, suspeito demais. Desapareceu de repente, como se não quisesse ser visto. Não sei por quê, mas garanto que ele é o chefe de todo o esquema...

— Ora, Crânio! Quer dizer que o Doutor Q.I. encolheu? — brincou Magrí. — O chefe de todo o esquema só pode ser o Doutor Q.I.!

Calu não queria saber de anões. Ali faltava um dos Karas e ele não podia conformar-se com isso:

— E Chumbinho, então? Até agora não encontramos nem um traço de Chumbinho...

— Ele já pode estar morto a essa hora, Calu...

Miguel, sério, interrompeu:

— Não temos tempo para choradeiras, Karas. Cabeça erguida. Conseguimos alguma coisa sim. E vamos nos agarrar ao que conseguimos. Magrí, repita o que ouviu de dona Iolanda.

— Ela disse claramente: "Ele apontou para mim. Ele mandou atirar em mim. No aeroporto..."

— Ele! — Calu quase levantou a voz. — Quem é esse "ele"? Será que o Doutor Q.I. estava no aeroporto e mandou atirar na professora? Mas por que ele faria isso?

— Não vamos perder o fio da meada, Karas — retomou Miguel. — Vamos voltar ao que informou Andrade. Tem uma coisa que me intriga. Ele disse que, por mais que procurassem, não foi possível descobrir como o Doutor Q.I. fugiu da Penitenciária de Segurança Máxima. Só sabem que ele não está lá. Isso não é estranho? Aquela penitenciária tem esquemas contra fugas tão sofisticados que, se alguém conseguisse neutralizá-los, na certa ficariam traços óbvios dessa fuga, como portas serradas, fios cortados e coisas assim!

Calu seguia o raciocínio de Miguel:

— Lembro perfeitamente das palavras de Andrade, repetindo o diretor da penitenciária: "Daquela prisão só se sai pela porta da frente, com um mandado de soltura". Como nenhum dos homens que está lá poderá ser solto antes de mais ou menos cinquenta anos, a única maneira de sair é através de um ofício de transferência para outra penitenciária.

— Bem, pelo menos podemos estar certos de que o Doutor Q.I. nem foi solto nem transferido — disse Magrí.

Crânio sorriu:

— Assim, Karas, o problema fica mais fácil...

— Mais fácil? Como?

— Até agora só temos pistas mostrando que o Doutor Q.I. *não* fugiu da penitenciária, não é? Então, se a lógica vale alguma coisa, a conclusão é uma só.

— Qual?

— O Doutor Q.I. *não* fugiu da penitenciária, ora essa!

Os outros Karas entreolharam-se.

— Crânio, ficou maluco? O que você quer dizer com isso?

— Acho que já entendi aonde Crânio quer chegar: o Doutor Q.I. está fazendo a gente de idiota — concluiu Miguel. — Não sei como, mas está. Não adianta especular agora. Precisamos novamente do Andrade. Ele vai ter de dar um jeito de nos levar até a Penitenciária Estadual de Segurança Máxima!

— Qual é o seu plano, Miguel?

— É possível que naquela penitenciária haja algum prisioneiro que, por influência do Doutor Q.I., conheça a nossa cara.

— E daí?

— Daí, Calu, precisamos dos seus serviços de maquilagem...

* * *

O furor informativo da imprensa foi realimentado pelo desaparecimento de dona Iolanda. Agora, eram três os desaparecidos.

— Um bilhão de dólares! — berravam as manchetes. — Os bandidos querem um bilhão de dólares para devolver a Droga do Amor e o doutor Bartholomew Flanagan. E quanto aos outros dois? Será que os sequestradores também vão pedir resgate pela professora ferida e pelo menino Chumbinho? Ou vão simplesmente livrar-se deles? A polícia, até agora, nada conseguiu apurar de concreto...

* * *

Magrí estava pronta para a visita à Penitenciária de Segurança Máxima. Numa mochila, colocou o vestido velho e os enchimentos que Calu pedira, para completar o disfarce que ele planejava para ela.

Ao mexer no armário, lá estava a bolsa de dona Iolanda, que ela trouxera para casa no dia do sequestro do cientista americano.

"A bolsa...", pensava a menina. "Será que..."

Uma ideia começava a nascer. Ainda não estava clara, mas...

Magrí levou a bolsa na mochila.

* * *

Na direção do fusquinha, novamente lotado pelos quatro adolescentes, Andrade estava quase fora de si:

— Levar esses garotos à Penitenciária de Segurança Máxima! Não sei onde eu ando com a cabeça para aceitar as maluquices de vocês...

Um carro da polícia os acompanhava, trazendo também os dois agentes do FBI, o doutor Hector Morales e a intérprete. O presidente da Drug Enforcement na América Latina tinha sido chamado a participar daquela fase da investigação. Ele era o único que poderia ajudar com os detalhes técnicos da Droga do Amor e com o conhecimento que possuía do doutor Bartholomew Flanagan.

No fusquinha, os quatro Karas estavam irreconhecíveis. Com pequenos toques, Calu tinha conseguido alterar a aparência de todos eles. Cores de cabelos mudadas, lentes de contato coloridas, um bigodinho ralo, uns óculos, um boné, um enchimento aqui e ali, tudo isso transformara os Karas em um grupo irreconhecível para quem não fosse íntimo deles.

— Ainda não entendi por que vocês querem se apresentar como parentes de detentos! O que isso tem a ver com o caso?

— Confie em nós, Andrade, por favor. Jovens como a gente dão menos na vista. Se você levasse policiais disfarçados, para fazer esse serviço, na certa os prisioneiros desconfiariam.

— Mas que serviço é esse, afinal de contas?

— Crânio tem um palpite de que as informações que precisamos estão com alguns prisioneiros — esclareceu Miguel. — Precisamos falar com eles não-oficialmente. Precisamos saber o que eles sabem. Se eles nos aceitarem como parentes distantes, de quem eles não se lembram porque estão na cadeia há anos, talvez a gente descubra alguma coisa. Confie na gente, Andrade.

O detetive calou-se. Realmente ele não se lembrava de ter se arrependido de confiar naqueles garotos.

* * *

O diretor da Penitenciária Estadual de Segurança Máxima estranhou a visita do detetive Andrade acompanhado por aqueles quatro adolescentes, pelos três gringos e pela intérprete, mas nada disse. Ele sentia-se sem jeito por causa da fuga de um dos mais perigosos sentenciados que estavam sob sua custódia. Além disso, a autoridade do detetive, naquele caso, não era para ser discutida.

— *What the hell are we doing here, Doctor Morales?* — perguntava o agente Patrick Lockwood. — *What do we intend to find in this prison? The suspect has escaped! We must look for him somewhere else. We're loosing precious time!*

— *Don't worry, agent Lockwood* — acalmava o doutor Morales. — *Detective Andrade is a fine policeman, our consul said. He knows what he's doing. We're here only to watch. Let's wait and see what he intends to do...*

— *Vhat? Shtó?* — perguntava Iúri Mikhailevich para a intérprete. — *Shtó on skazal? Me not underrrstand...*[9]

O que a pobre da intérprete poderia fazer? Ela só falava inglês e português. Poderia traduzir uma língua para a outra e vice-versa. O que fazer, já que o russo não entendia nenhuma das duas?

Quando o detetive Andrade quis saber o que conversavam Lockwood e Morales, a intérprete sentiu-se mais útil:

— O agente Lockwood perguntou o que estamos fazendo aqui. E o doutor Morales elogiou o senhor. Disse que

---

[9] — Que diabo estamos fazendo aqui, doutor Morales? (...) — O que pretendemos encontrar nesta prisão? O suspeito fugiu! Devemos procurar por ele em outro lugar. Estamos perdendo tempo precioso!

— Não se preocupe, agente Lockwood (...) — O detetive Andrade é um ótimo policial, foi o que disse nosso cônsul. Ele sabe o que está fazendo. Estamos aqui só para observar. Vamos esperar e ver o que ele pretende fazer.

— O quê? O quê? O que ele está falando? Mim não entender...

o senhor é um ótimo detetive, e que o agente Lockwood pode confiar...

Andrade estava gostando daquele doutor Hector Morales. Pelo jeito, o presidente da Drug Enforcement sabia reconhecer o valor de um policial como ele.

O diretor da penitenciária repetia com todos os detalhes as circunstâncias da fuga do Doutor Q.I.:

— Não encontramos pista nenhuma. Só o que sabemos é que, na chamada da manhã, há três dias, o prisioneiro não apareceu. Simplesmente sumiu!

O detetive perguntou:

— Diretor, o senhor me disse que a única maneira de um sentenciado sair daqui é com um alvará de um juiz, libertando-o ou transferindo-o para outro presídio, não é?

— Isso mesmo, detetive Andrade. Alguns prisioneiros, depois de longo tempo de pena, quando apresentam ótimo comportamento, às vezes conseguem transferência para outra penitenciária...

— Outra penitenciária? — sussurrou Crânio para Calu. — Uma de onde é mais fácil fugir?

— Como? — perguntou o diretor.

— Nada, desculpe — disse Crânio.

— Desculpa! *Izvinítie*! — sorriu o russo, que já andava pescando alguma coisa de português. — *Me underrstand! Iá panimáiu! Me inténdó!*[10]

Andrade continuou:

---

[10] — Mim enternderr! Eu estou entendendo! Mim entende.

— Desde a fuga, ou o desaparecimento do Doutor Q.I., quantos prisioneiros saíram daqui com alvarás desse tipo?

— Nenhum, detetive. Quando soubemos da fuga do prisioneiro, mandei suspender o cumprimento dos quatro alvarás de transferência que tínhamos recebido...

— Quatro alvarás, senhor diretor? Pois é isso mesmo que eu peço que o senhor faça. Gostaria que o senhor anunciasse, a esses quatro prisioneiros, que foi permitido, excepcionalmente, que eles recebessem visitas, antes de serem transferidos...

— Visitas? Que visitas?

— Esses quatro jovens aqui. Eu gostaria que eles fossem anunciados como visitas a esses quatro detentos. Um de cada vez, por favor...

O diretor estava achando aquilo muito irregular. Mas ele já andava recebendo pressão de todos os lados, até do Ministério das Relações Exteriores, para ajudar em tudo que tivesse qualquer ligação com o sequestro do doutor Bartholomew Flanagan e com o roubo da Droga do Amor.

— Como quiser, detetive Andrade.

* * *

Além dos limites da cidade, os olhos de dona Iolanda examinavam cada canto do pequeno galpão onde se encontrava. Olhava apenas, pois sua boca estava amordaçada e seus pulsos amarrados atrás de uma cadeira.

Ainda sentia tontura da anestesia forçada, e seu ferimento doía um pouco. Estava lúcida. Era uma mulher valente. Solteira, sem parentes, sua vida eram seus alunos. Por eles, ela resistia.

A porta do galpão abriu-se lentamente. Dona Iolanda voltou a cabeça.

Nesse momento, se não estivesse amordaçada, a professora teria dado o maior berro de sua vida.

Recortada contra a luz que entrava pela porta aberta, ela teve uma visão de pesadelo: o anão mais medonho que a imaginação de dona Iolanda poderia conceber!

A lâmina de um canivete brilhou ao abrir-se.

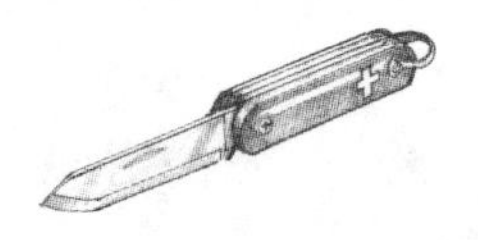

18. Quatro séculos de cadeia

O diretor da Penitenciária Estadual de Segurança Máxima levou os quatro Karas e o detetive Andrade para uma sala escura. Em uma das paredes, um vidro grande permitia que se visse perfeitamente outra sala, muito bem iluminada, com uma mesa e duas cadeiras. Era um vidro, quando visto da sala escura; mas, quando visto da sala iluminada, aquilo era apenas um grande espelho.

— Deste lado, podemos ver tudo o que acontece do lado de lá — explicou o diretor, apontando para a sala iluminada que se via através do vidro. — Mas, do outro lado, o prisioneiro só verá um espelho. Podemos também ouvir tudo, pois a sala tem microfones embutidos.

— Já conheço tudo isso, diretor... — resmungou Andrade, de mau humor.

— *Eta zdiêss ani mútchaiút arestovanej?*[11] — perguntou Iúri Mikhailevich. Mas, como foi em russo, não houve

[11] — É aqui que eles torturam os presos?

resposta porque ninguém entendeu nada. O pobre Iúri sentia-se perdido...

— Muito bem, detetive — continuou o diretor. — Já mandei chamar os quatro sentenciados que aguardam transferência daqui. Juntos, eles ainda têm a cumprir mais de quatro séculos de cadeia. Pelo jeito, a periculosidade deles diminuiu muito. Apresentam bom comportamento há anos. Por isso estão sendo transferidos para outras penitenciárias. A junta de conselheiros decidiu que eles já podem cumprir suas penas em regime menos rígido do que o daqui.

— Vamos logo, diretor, vamos logo! — apressou Andrade.

— Certo, detetive Andrade. Separadamente, mandei avisar a cada um dos prisioneiros que um sobrinho veio visitá-lo. Qual de vocês vai ser o primeiro "sobrinho"?

— Eu — apresentou-se Miguel.

O diretor abriu a porta de comunicação entre as duas salas e Miguel ficou na sala iluminada, sozinho, sentado em uma das cadeiras.

O diretor deu uma ordem pelo telefone.

* * *

A porta da sala iluminada abriu-se e um negro enorme entrou algemado, com dois guardas como escolta.

Miguel, meio sem jeito, cumprimentou:

— Olá, tio...

O prisioneiro nem se sentou na cadeira que um dos guardas lhe apontava. Parou e olhou espantado para o rapazinho.

— Tio? Que negócio é esse de tio? Como é que eu posso ser seu tio? Que história é essa? Isso é uma armação? Uma armadilha para pegar aqui o pássaro preto? Quem te mandou, moleque? Foi o Nego Cão? Pois pode dizer pra ele que eu agora estou fora. Estou fora, está me ouvindo? Guarda, me leva daqui! Me leva daqui! Não quero mais negócios com o Nego Cão! Me leva daqui!

* * *

Na sala escura, depois que o prisioneiro foi levado pelos guardas, o diretor não estava nem um pouco animado.

— Isso não vai dar certo. O que o senhor pretende, detetive Andrade?

— Não se preocupe. Espere e verá. Mande entrar o próximo prisioneiro. O senhor já vai ver...

Andrade, porém, não tinha a menor ideia de onde aquilo tudo ia chegar.

A intérprete parecia cada vez mais excitada ao traduzir tudo o que ouvia para o agente Lockwood.

O agente Mikhailevich tentava pescar aqui e ali alguma coisa que conseguisse entender.

* * *

Magrí foi a segunda a ocupar a cadeira de visitante. E o segundo sentenciado a comparecer algemado era um sujeito baixinho, de cara encovada.

— Você é que é a minha sobrinha, é? — perguntou o homem, com cinismo. — Não me diga!

— Sou sim... não se lembra de mim, tio?

— Posso me lembrar, sobrinha. Mas você precisa me ajudar. Eu estou na cadeia há tanto tempo que nem fiquei sabendo que a minha velha mãe teve mais filhos. Afinal, eu era filho único! Da parte do meu pai não pode ser, porque eu nunca soube quem era ele. Mas o impressionante, sobrinha, é que a minha mãe já morreu há vinte e cinco anos. Como é que ela, depois de morta, conseguiu ter mais filhos, para eu arranjar uma sobrinha?

* * *

Do outro lado do espelho, na sala escura, o diretor informou:

— É... com esse eu sabia que ia ser difícil. É o rei do cinismo. Acho que foi isso que o ajudou a sobreviver à cadeia até agora...

* * *

Calu já estava sentado na sala iluminada, quando entrou o terceiro prisioneiro.

Ao ser apresentado ao seu "sobrinho", o homem imobilizou-se. Sua expressão nada demonstrava.

Calu tentou ajudar:

— Oi, tio... o senhor não se lembra de mim, eu sei. Mas a gente soube que o senhor afinal conseguiu transferência para outro lugar, melhor do que este e...

— O que é isso? — perguntou o sentenciado, com uma voz muito baixa.

— Isso o quê? — devolveu Calu, com cara de ingênuo.

— É uma arapuca dos tiras, eu já percebi. Vocês querem me sujar, querem me impedir de sair daqui! Mas não me pegam, não! Eu luto há dezessete anos para conseguir esse alvará de transferência! Vocês não me pegam! Vão ter de cumprir direitinho o meu alvará. Vocês vão ter de me tirar daqui! Vocês não me pegam! Não me pegam!

* * *

Na sala escura, assistindo e ouvindo tudo, nem o diretor nem Andrade conseguiam perceber onde aquela bobagem ia dar. O que os garotos esperavam conseguir com aquelas entrevistas idiotas? Nenhuma dava certo! Nem uma pergunta até agora eles tinham conseguido fazer para os prisioneiros!

Andrade estava de cabeça baixa, tentando imaginar uma desculpa para o diretor da penitenciária. Uma desculpa que pudesse amenizar a vergonha que ele estava passando por sugerir uma encenação tão sem sentido, tão inútil...

— Sua vez, Crânio — disse Miguel.

* * *

O quarto prisioneiro entrou na sala iluminada, andando com dificuldade.

Era um velho. Magro como uma sombra. Devia estar na cadeia há um tempão, mais tempo talvez do que a própria idade dos pais de Crânio.

* * *

Na sala escura, vendo o pobre sentenciado do outro lado do vidro, o diretor comentou:

— Esse já está velho e doente. Vamos tirá-lo daqui, mas acho que ele não vai sobreviver muito mais tempo…

— Shhh… — fez Miguel. — Vamos ouvir o que acontece.

* * *

Crânio levantava-se da cadeira, com um ar tímido.

— Boa tarde, tio…

O velho andou com esforço até a cadeira. Sentou-se, apertando os olhos. Como enxergava mal, não conseguia distinguir a fisionomia de quem estava a sua frente.

Tossiu.

— Ahn? Que… quem é você?

— Não se lembra, não é, tio? É que quando eu nasci você já estava preso… Sou seu sobrinho-neto. Vim ver se o senhor precisa de alguma coisa, antes da transferência…

— Oh, obrigado... — disse o velho, meio alheado. — Obrigado... que bom que você veio!

— Sua irmã Benevinda não pôde vir, tio. Mas eu estou aqui. Lembra-se dela, tio? Ela escreveu para o senhor, lembra? Ela sempre escreve para o senhor. Ela disse que tem lhe mandado fotos das crianças. Ela disse que mandou até a minha fotografia...

O velho sorriu de leve, como se uma luz lhe iluminasse a lembrança:

— Ah, sim, é claro. Agora me lembro. Foi muito bom você ter vindo me visitar, sobrinho. Muito bom mesmo...

— O senhor se lembra de mim, então? Sou o Leovegildo, neto da sua irmã Benevinda. Sou filho da Clovildes, filha da vó Benevinda...

— Ora, é claro! Da Clovildes, filha da Benevinda...

Nesse momento, o susto do diretor e de Andrade só não foi maior do que o do prisioneiro.

Crânio levantava-se e estendia a mão para o velho, com um sorriso triunfante!

— Doutor Q.I., eu presumo...

* * *

O velho levantou-se de repente, abandonando o porte encurvado. Parecia vinte anos mais moço:

— O quê?!

Com um gesto rápido, Crânio estendeu a mão para o velho e agarrou-lhe o rosto. Algemado, o homem deu um tranco para trás.

Na mão do garoto ficou um pedaço arrancado da cara do velho, como se pele e carne se desgrudassem da caveira.

Mas não era carne nem pele. Era um pedaço de uma máscara plástica!

— Ãhn? Me largue!

Recuando, Crânio arrancou o bigode nascente que Calu havia cuidadosamente lhe colado sob o nariz, tirou o velho paletó com enchimentos, o boné, e sorriu:

— Lembra-se de mim, Doutor Q.I.?

— Você! Maldito!

Ainda com pedaços da máscara colados na cara, o aspecto do homem era assustador. Mas sua expressão de ódio era pior ainda.

— Maldito!

— Que decepção, Doutor Q.I.! — ria-se Crânio. — Eu acabei de inventar esses nomes todos! E o senhor caiu como um patinho... Se fosse quem está representando ser, o senhor teria de estranhar o que eu estava dizendo, teria de negar conhecer qualquer Leovegildo, qualquer Benevinda e qualquer Clovildes!

Da porta de comunicação com a sala escura ao lado, surgiram Magrí, Miguel, Calu, o diretor, Andrade, a intérprete e os dois agentes do FBI, enquanto os dois guardas que haviam trazido o prisioneiro tratavam de segurá-lo pelos braços.

— Vocês!! Ah, não! Vocês todos de novo! Não! Não!

Enquanto os guardas o levavam, podia-se ainda ouvir os gritos do Doutor Q.I.:

— Eu vou conseguir sair daqui! Vocês não perdem por esperar! Eu ainda vou me vingar! Vou me vingar!

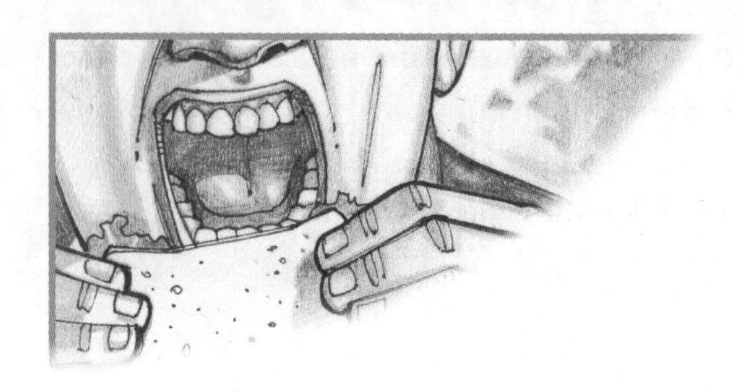

19. Horror!

Foi um pandemônio na Penitenciária de Segurança Máxima.

O diretor estava satisfeito pela solução da fuga do Doutor Q.I., que afinal nunca acontecera. Mas estava também envergonhado pelo problema ter sido resolvido pelos garotos. Sorriu, desculpou-se algumas vezes e saiu, tomando providências para esclarecer os detalhes que faltavam.

Andrade, Hector Morales, Patrick Lockwood, Iúri Mikhailevich, a intérprete e os quatro Karas foram levados para o refeitório dos guardas, enquanto os carcereiros e funcionários da prisão inteira corriam de um lado para o outro no cumprimento das ordens do diretor.

Vieram onze sanduíches "americanos" e nove sucos de laranja, porque Andrade pedira três sanduíches.

— Uma brilhante encenação, detetive Andrade! — cumprimentava o doutor Hector Morales. — Uma brilhante conclusão!

— Não tão brilhante assim, doutor Morales — contradisse Miguel. — O que nós conseguimos? Desmascaramos o esquema de fuga do Doutor Q.I. E depois? Aonde isso nos leva? O que tem isso a ver com o sequestro do doutor Bartholomew Flanagan, do meu amigo Chumbinho e de dona Iolanda Negri? O que isso tem a ver com o roubo da Droga do Amor?

— Ora, mas vocês solucionaram o caso!

Magrí deu um sorriso amargo:

— Solução, doutor Morales? Que solução nós encontramos? Tudo o que conseguimos foi eliminar nosso único suspeito! Se o sequestro do doutor Bartholomew Flanagan e o roubo da Droga do Amor não foi um plano do Doutor Q.I., de quem foi então?

— E o Chumbinho, Magrí? Você está se esquecendo do Chumbinho?

— Não, Miguel. É claro que não!

Calu estava desanimadíssimo.

— Ah, estamos na estaca zero!

— Ora, rapaz! — sorriu Morales. — Vocês foram brilhantes! É claro que estamos na pista certa. Esse Doutor Q.I., de dentro da penitenciária, é a cabeça que está comandando todo o esquema! É só vocês conseguirem que ele fale, e tudo estará resolvido! A maior prova do envolvimento dele é a assinatura "Q.I." no bilhete que foi deixado depois do sequestro do menino!

Magrí estava nervosa:

— Ah, essa assinatura não tem nada a ver!

— É claro que tem a ver, menina! — discordou o doutor Morales. — Apertem o homem. Ele vai confessar!

Andrade, às voltas com seus sanduíches, balançou a cabeça:

— Talvez, doutor Morales, mas eu não confiaria tanto numa confissão. Esse homem não falará nada. Por enquanto, só sabemos que ele tentou fugir. Não temos nenhum indício que o ligue com o caso da Droga do Amor, além da assinatura no bilhete. Mas isso é muito pouco. Precisamos de provas mais concretas...

Depois que a intérprete, de boca cheia, traduziu o que estava sendo dito, Patrick Lockwood deu seu palpite, sorrindo, e a mulher traduziu de volta:

— O agente diz que vocês, policiais brasileiros, demonstraram grande capacidade de dedução. Ele diz que agora é só continuar na mesma linha de raciocínio.

Hector Morales aproveitou a pergunta do agente e acrescentou a sua:

— Por falar nisso, como é que vocês descobriram que esse Doutor Q.I. estava preparando um esquema de fuga tão original?

Andrade apontou Crânio com a cabeça.

— Foi uma ideia deste garoto aqui...

Os olhares voltaram-se todos para Crânio, menos o do russo, que não estava entendendo nada. O rapaz explicou:

— Bem, a pista principal era justamente a falta de indícios que demonstrassem *como* o Doutor Q.I. tinha conseguido fugir. Ele havia desaparecido simplesmente porque não estava mais entre os detentos, mas nada havia que caracterizasse uma fuga. Ora, nem mesmo ele, com as suas manhas, conseguiria evaporar como água. E eu me coloquei no lugar dele. Se eu quisesse sair daqui, naturalmente tentaria a única maneira possível: conseguir ser transferido para uma penitenciária menos fechada, de onde, aí sim, eu poderia tentar escapar com mais chances de sucesso.

— Mas essa transferência ainda poderia demorar uns vinte anos para um criminoso como o Doutor Q.I., mesmo que ele se comportasse como um anjinho... — observou Andrade.

— É verdade. Como então apressar a transferência? É claro que só tomando o lugar de algum outro detento que estivesse para sair!

Andrade não escondia o orgulho pelo raciocínio de Crânio, um dos seus garotos.

— Só mesmo a cabeça do Doutor Q.I. para imaginar uma coisa dessas!

Hector Morales brincou:

— Como só a cabeça do Doutor Q.I.? E este rapaz? Não pensou exatamente a mesma coisa?

Andrade acariciou os cabelos de Crânio:

— Ah, meu querido menino! Ainda bem que você está do meu lado!

Crânio não estranhou quando Andrade deu-lhe um beijo estalado na bochecha. Só não gostou muito porque o beijo estava sujo de mostarda...

Iúri Mikhailevich adorou aquela história de beijo, porque beijo é coisa de russo:

— *Potselúi! Potselúi! Meh russkie otchen liubin tselavátsa! We russian like kisses vééérry much!*[12]

E tascou o maior beijo no rosto surpreso de Patrick Lockwood.

* * *

Um guarda veio chamá-los no refeitório. O diretor queria falar com eles.

Quando entraram na sala, o diretor estava sentado atrás de sua ampla mesa, com uma expressão horrorizada. Parecia ter acabado de ver um filme do Drácula.

— Sentem-se, por favor. Obrigado, detetive Andrade, por ter nos ajudado a resolver esse problema.

— Às ordens, diretor...

— Depois que o Doutor Q.I. foi desmascarado, os outros presos resolveram falar e não foi difícil levantar a história toda...

— Ele se fez passar por um dos detentos que iam ser transferidos, não é? — adiantou o doutor Hector Morales. — Mas como conseguiu isso? É uma loucura! Parece impossível...

— Para qualquer sentenciado, talvez, mas não para o Doutor Q.I. Ele é o prisioneiro mais inteligente que eu

[12] — Beijo! Beijo! Nós os russos gostamos muito de nos beijar!

jamais conheci. Se conseguisse ser transferido para uma prisão com menor segurança, seus contatos externos tornariam muito mais fácil sua fuga. Principalmente se fugisse fazendo-se passar pelo velho e não com sua própria identidade...

— Tem razão. Em outra prisão qualquer, ele acabaria arranjando um meio de escapar — concordou Andrade.

— Com isso em mente, o Doutor Q.I. elaborou um plano ousadíssimo. Os prisioneiros acabaram de contar que ele decidiu tomar o lugar do velho e fez um regime brutal, até tornar-se tão magro como ele. Aos poucos, estudando o velho, aprendeu a andar como ele, a falar como ele, a *ser* o velho. Fabricou com plástico uma máscara perfeitamente adaptável ao rosto e uma cabeleira. E o Doutor Q.I. transformou-se em uma cópia do velho...

Andrade ainda estava comendo um sanduíche que trouxera do refeitório. Interrompeu a refeição e a fala do diretor:

— Espere aí, diretor. Mas esse plano tem uma falha. Vocês pensaram que ele tinha fugido porque faltava um prisioneiro na hora da chamada. Como isso aconteceu? O Doutor Q.I. tomou o lugar do velho, mas o número de prisioneiros continuou o mesmo. E o velho? Onde está o velho?

A expressão de horror do diretor aumentava:

— O Doutor Q.I. assassinou o velho...

Andrade fixava-se na falha que tinha descoberto.

— Ah! Mas como ele conseguiu fazer sumir o cadáver dentro de uma penitenciária como esta?

Ao horror da expressão do diretor acrescentou-se o nojo:

— O maldito mandou esquartejá-lo e...

— E... ? O que ele fez com os pedaços?

— Ele subornou os detentos que trabalham na cozinha dos prisioneiros! Eles misturaram os pedaços na carne moída!!

O sanduíche voou das mãos do detetive Andrade.

Tapando desesperadamente a boca com as mãos, o pobre detetive correu para o banheiro da diretoria da Penitenciária de Segurança Máxima.

* * *

O diretor, preocupadíssimo, falava através da porta do banheiro:

— Detetive Andrade! Não se assuste! O senhor só comeu sanduíches de ovo frito, com presunto, queijo e alface! Os meninos e os outros também. Não se preocupe, detetive!

20. A vez de Magrí

Sentado no sofá da diretoria da penitenciária, enxugando a boca com o lenço, o detetive Andrade estava pálido. O susto fora de amargar!

A intérprete, de olhos vermelhos, tinha se acalmado um pouco, depois de tomar água com açúcar.

O agente Patrick Lockwood, enquanto Hector Morales traduzia para ele a causa de todo o tumulto, balançava a cabeça e repetia:

— *My God! My God! It's awful...*[1]

Somente o russo não parecia chocado. Só tinha entendido um pouquinho daquela história toda. E esse pouquinho não era suficiente para que ele entendesse por que todo mundo estava tão fora de si.

Hector Morales perdera o ar de segurança absoluta. Até seus cabelos não estavam mais irrepreensivelmente

[13] — Meu Deus! Meu Deus! É horrível...

penteados, de tanto que ele passava a mão por eles, chocado com o plano macabro do Doutor Q.I.

— Que horror! O velho foi comido pelos prisioneiros!

— Demônio! — praguejava Andrade. — O Doutor Q.I. é o demônio! Nunca na minha vida de policial ouvi falar em uma barbaridade como essa!

Miguel concordou:

— Só mesmo uma mente doentia como a do Doutor Q.I. poderia pedir resgate pela Droga do Amor. Somente um homem cruel como ele poderia querer ganhar um bilhão de dólares especulando com a vida de milhões de seres humanos que agonizam em todo o mundo, vitimados pela praga do século!

— Até parece impossível que ele possa ter liderado esse plano todo daqui de dentro da penitenciária mais fechada do país! — observou Calu. — Só mesmo um criminoso com a inteligência maligna dele poderia encontrar um meio de dirigir, daqui de dentro, uma operação como essa!

Miguel não era de deixar que aquele choque perturbasse sua capacidade de ação:

— Pessoal, não temos tempo a perder. Talvez a vida do doutor Bartholomew Flanagan não corra perigo imediato, pois os bandidos esperam ganhar dinheiro com ele. Mas para que precisam manter dona Iolanda viva? Para que manter Chumbinho vivo? O tempo está contra nós!

As palavras de Miguel despertaram Andrade:

— Muito bem, precisamos fazer com que esse monstro confesse onde estão o doutor Bartholomew Flanagan, dona Iolanda Negri, Chumbinho e as amostras da Droga do Amor. Senhor diretor, peço que traga o Doutor Q.I., agora, para a sala de interrogatório. Cada minuto é precioso daqui para a frente!

* * *

O Doutor Q.I. entrou algemado na mesma sala onde fora desmascarado por Crânio. Parecia já estar refeito. Vestia um uniforme limpo e em seu rosto não havia mais sinais da máscara plástica. Tinha recuperado a frieza e a autoconfiança.

Dez outras pessoas abarrotavam a sala. Mas tinha ficado decidido que somente Andrade faria as perguntas.

— Muito bem, Doutor Q.I., já descobrimos todo o seu joguinho...

Os músculos do rosto do prisioneiro não se moveram.

— Mais algumas décadas de condenação esperam o senhor pelo bárbaro assassinato de um companheiro de prisão, Doutor Q.I. Não queira complicar mais as coisas para o seu lado. Queremos saber, já, onde estão o doutor Bartholomew Flanagan, dona Iolanda Negri, o menino Chumbinho e as amostras da Droga do Amor!

As sobrancelhas do prisioneiro franziram-se.

— Não me venha dar uma de inocente, Doutor Q.I. Nós já descobrimos todo o seu joguinho. Pode começar a falar.

— A falar o quê? — perguntou o homem, com um meio sorriso.

— Você sabe muito bem do que eu estou falando, miserável!

— Da Droga do Amor? Dos sequestros? É claro que já ouvi falar disso. Até aqui dentro dá para se saber o que se passa lá fora. Mas por que o senhor pensa que eu tenho alguma coisa a ver com tudo isso?

— Ora, não me venha bancar o inocente! O senhor não conseguiu conter sua vaidade criminosa, não é? E assinou o bilhete do sequestro de Chumbinho!

— Eu fiz o quê?

— O bilhete que a empregada encontrou ao lado da bicicleta de Chumbinho estava assinado "Q.I.". Você sabe muito bem disso!

— Não. Isso eu não sabia. E também não sabia que o senhor, detetive Andrade, seria tão burro a ponto de imaginar que eu assinaria um bilhete de sequestro. O senhor me subestima, detetive Andrade. O senhor está acostumado a prender criminosos analfabetos e ignorantes e até hoje não pôde compreender a profundidade da minha mente...

— Ora, seu...

— É do meu raciocínio que o senhor precisa? Pois estou às suas ordens. Não gosto de criminosos que usam meu nome.

A segurança daquele criminoso era impressionante. Sua personalidade era rara, dominadora.

— Vocês estão farejando a pista errada! — declarou com ironia o Doutor Q.I. — O sequestro desse cientista não é coisa planejada aqui. Vocês não percebem? Como eu sei? Eu não sei. Eu penso.

O olhar de Magrí, durante todo aquele interrogatório, permanecia meio distante. A menina pensava. Colocada no fundo da sala, fora dos olhares dos outros, abriu a mochila e, discretamente, examinou o conteúdo da bolsa de dona Iolanda. Fechou-a novamente.

Um silêncio constrangido tomava conta da sala de interrogatório.

Quem o rompeu foi Magrí.

— Andrade, posso falar?

O gordo detetive, meio zonzo, sem saber como sobrepor-se à forte personalidade do Doutor Q.I., voltou a cabeça para a menina:

— Claro, Magrí.

— Peço que o Doutor Q.I. seja dispensado.

— Como?

— Por favor, Andrade. Confie em mim. Por favor!

* * *

Depois que o prisioneiro foi levado pelos guardas, Magrí levantou-se:

— O Doutor Q.I. tem razão. Estamos na pista errada.

O diretor sorriu, com condescendência:

— Ora, desculpe, detetive Andrade, mas não vamos ficar aqui perdendo tempo com opiniões de crianças...

O olhar de Magrí fuzilou o diretor, e Andrade veio em seu socorro.

— O senhor é que deve me desculpar, diretor, mas eu estou no comando das investigações deste caso. Peço sua paciência. O senhor já viu do que estes meninos são capazes. Vamos ouvir o que Magrí tem a dizer.

Dessa vez a segurança da personalidade do Doutor Q.I. estava sendo substituída pela força de Magrí. Era de impressionar.

— Andrade, deixe-me ver de novo as fotos do doutor Bartholomew Flanagan e o resumo de sua biografia, por favor.

Andrade tirou o envelope do bolso.

— Aqui estão, Magrí.

A menina folheou as fotos e passou os olhos pelo conteúdo da biografia.

— Vou começar com um pedido — disse ela, voltando-se para Patrick Lockwood. — *Please, mister Lockwood, I need your help. Would you call the FBI immediately?*

— *Of course... but what for?*

— *Please, ask for a sample of doctor Flanagan's signature. Would you do that? Would you ask them to send a fax right away with that sample?*[14]

---

[14] — Por favor, senhor Lockwood. Preciso de sua ajuda. O senhor poderia telefonar para o FBI imediatamente?

— Claro... mas para quê?

— Por favor, peça uma amostra da assinatura do doutor Flanagan. O senhor pode fazer isso? Peça a eles que enviem um fax, a seguir, com essa amostra.

— O que ela está dizendo? — perguntou Andrade.

Antes que a intérprete começasse a traduzir, Magrí interrompeu-a com um gesto.

— Andrade, eu pedi ao agente Lockwood uma amostra da assinatura do doutor Bartholomew Flanagan que o FBI deve ter. Pedi que mandassem essa amostra por fax para cá, o mais rápido possível.

Patrick Lockwood olhava em volta, sem saber se cumpria ou não o que pedira a menina.

O doutor Hector Morales riu-se.

— Ora, isso é uma brincadeira? Vamos ficar aqui perdendo tempo, enquanto...

Andrade cortou.

— Por favor, doutor Morales. Como eu já disse, quem comanda esta investigação sou eu.

Com um movimento de cabeça, autorizou o agente do FBI a atender o pedido de Magrí.

Depois de instruções do diretor da penitenciária, um guarda saiu com Patrick Lockwood da sala de interrogatório.

— Continue, Magrí.

— A polícia podia tentar encontrar os quatro homens que na certa são da quadrilha. Aqueles dois que estavam na frente do hospital e os outros dois gorilas que guardavam a porta do quarto de dona Iolanda, mas isso seria inútil...

— Você viu a cara deles, Magrí — lembrou Andrade. — Podemos mostrar-lhe os arquivos de fotos de criminosos procurados. Se eles já tiverem sido fichados...

— Ora, Andrade, vai levar um tempão! Não temos tempo para isso! — exclamou Magrí.

Crânio interrompeu:

— Mas tem um da quadrilha que só eu vi. E esse não é difícil de identificar. É um anão!

— Um anão?

— *Shtó?* — perguntou o russo.

— *A dwarf, he said* — tentava explicar a intérprete para Iúri Mikhailevich. — *Do you understand? Oh, my! How do you say "dwarf" in Russian?*[15]

Andrade também não estava entendendo:

— Que novidade é essa, Crânio?

— Um anão disforme, Andrade. Um homenzinho horrível, sinistro, que estava rondando nossas ações lá no hospital. Ele se escondeu e desapareceu, logo que eu o vi. Pela cara dele, acho que é um bandido capaz das piores barbaridades! É um sujeito perigoso, sem dúvida nenhuma. Acho que era quem estava coordenando a quadrilha lá no hospital. Na certa foi ele quem mandou sequestrar dona Iolanda, quando viu que nós estávamos na pista deles!

Magrí cortou a fala de Crânio com um gesto:

— Crânio, quer ficar quieto? Quer esquecer essa bobagem de anão?

— Mas, Magrí, você não diria que estou falando bobagem se visse a cara do anão. Ele é o sujeito mais assustador, mais suspeito que eu já vi!

---

[15] — Um anão, ele disse... Você entende? Oh! Como se diz "anão" em russo?

Magrí foi dura dessa vez:

— Por favor, Crânio! Eu sei o que estou fazendo!

Crânio calou-se e Magrí retomou seu raciocínio.

— Tem alguns detalhes dessa história que só eu testemunhei. Lembram-se de eu ter contado que, à noite, no avião, ouvi uma conversa entre o doutor Hector Morales e o doutor Bartholomew Flanagan?

Os olhos de Hector Morales arregalaram-se:

— Uma conversa entre mim e o doutor Flanagan, menina? Não diga! O que você ouviu?

— Uma conversa corriqueira, doutor Morales. Mas, agora, pensando nela, eu...

Foi interrompida pelo telefone, que tocava na sala ao lado. Um funcionário o atendeu e chamou pelo diretor.

— Tem um sujeito esquisito lá no portão, diretor. Diz que tem de falar com urgência com o detetive Andrade. Tentaram mandá-lo embora, mas ele insiste que tem informações importantes sobre o sequestro da professora. Ele é um...

Andrade interrompeu o funcionário:

— Como esse sujeito pode saber que eu estou aqui?

Magrí tocou no braço do diretor, pedindo, com suavidade:

— Deixe-o subir, diretor. Não podemos abrir mão de nenhum depoimento. Se esse tal sujeito esquisito sabe que o detetive Andrade está aqui, precisamos descobrir quem é ele e o que quer.

O diretor olhou para Andrade. Andrade olhou intrigado para Magrí. Magrí insistiu:

— Por favor, Andrade. Por favor!

Andrade fez um gesto com a cabeça em direção ao diretor, autorizando mais aquela irregularidade na rotina da penitenciária.

— Mande trazer o visitante misterioso até aqui, diretor.

O diretor estava dando as ordens para que revistassem direitinho o tal sujeito, antes de deixá-lo entrar, quando o agente Patrick Lockwood voltou à sala de interrogatórios. Trazia um papel de fax nas mãos. Estendeu-o para Andrade.

— *Here you are, detective, some samples of doctor Flanagan's signature...* [16]

Andrade pegou o papel, passou-lhe os olhos e entregou-o para Magrí.

A menina olhou detidamente o papel de fax. Abriu a mochila e tirou de lá uma agenda. Abriu-a e colocou o papel de fax ao lado, comparando alguma coisa.

Sua carinha iluminou-se. E foi com o sorriso mais lindo do mundo que a menina levantou o rosto e encarou a todos:

— Gente, acho que resolvi o caso!

[16] — Aqui estão, detetive. Algumas amostras da assinatura do doutor Flanagan...

21. Um desfecho com sol e praia

Aquilo era demais para os agentes do FBI e para o diretor da Penitenciária de Segurança Máxima.

Para a intérprete, a história estava se tornando fascinante e a mulher assistia a tudo como se estivesse diante da tevê. Normalmente, ela só traduzia encontros chatos entre executivos. Era a primeira vez que ela estava participando de uma reunião tão emocionante.

Para Andrade, porém, a surpresa era menor. Ele sabia do que era capaz aquela menina magrinha, de rosto lindo.

Com a folha de fax sobre a agenda aberta, Magrí sacudia o braço.

— Era *disso* que eu precisava. Desde hoje à tarde tinha uma coisa na minha cabeça que me incomodava. Eu me lembrei da conversa que ouvi no avião entre os dois cientistas da Drug Enforcement. Lembro-me de que o doutor Bartholomew Flanagan falava para o doutor Hector Morales que odiava praia e calor, não gostava de sol nem de areia.

Era um homem da cidade grande, que detestava sujeira. Lembra-se dessa conversa, doutor Morales?

O porto-riquenho americano sorriu:

— Não, acho que não. Num voo, conversa-se de tudo. Como é que eu vou me lembrar de pequenos detalhes?

— Eu tenho mania por detalhes, doutor Morales — continuou Magrí. — Mas não pensei nessa conversa quando vi as fotos do doutor Bartholomew Flanagan que os agentes do FBI trouxeram.

Foi até a mesa, onde tinha deixado o envelope, e exibiu as fotos para todos.

— Vejam. O que está nestas fotografias? O que vocês veem nelas? Um homem sorridente, de bermudas e camisa colorida, sempre em praias, sempre procurando o verão, não é? Um ex-surfista, que mora em Malibu, e passa as férias em Acapulco, na Flórida e no Havaí. Estão vendo? Estas fotos poderiam ser de um homem "da cidade", que detesta praia, sol, calor e areia?

O emudecimento foi geral. O que Magrí mostrara parecia incontestável, mas o doutor Hector Morales sorriu, condescendente, com carinho.

— Muito bem, menina. Tudo isso pareceria perfeito se a realidade não fosse como ela é. Eu conheço o doutor Bartholomew Flanagan há muitos anos. Eu sei e todo mundo sabe que ele detesta as cidades grandes, odeia andar de gravata. O que ele gosta é da natureza, do sol e das praias. Assim é o doutor Flanagan. Essa história de que ele detesta praia e sol não faz o menor sentido!

— Eu o ouvi conversando com o senhor, doutor Morales. E ele falava exatamente o que eu disse: que odiava praia, sol e calor — confirmou Magrí.

— Ora, menina! Havia dezenas de americanos naquele voo! Como pode ter certeza de que éramos nós dois?

— Eu *tenho* certeza, doutor Morales.

O doutor Hector Morales parecia ter a maior das paciências. Não queria ofender a menina e argumentava com grande delicadeza.

— Está bem, eu presumo que você não inventaria uma coisa dessas. Mas pense bem. Quem acreditaria em você? A conversa que você ouviu poderia ter acontecido com qualquer outro par de americanos!

— Temos mais um pequeno ponto a discutir, doutor Morales — Magrí não perdia a convicção. — Quando amanheceu, no avião, dona Iolanda acordou-me dizendo que uma jornalista havia reconhecido o famoso doutor Flanagan naquele voo. Ela pegou sua agenda e correu para pedir um autógrafo. *Esta* é a agenda.

Seu braço levantado exibia a agenda da professora junto com o papel de fax.

— Agora eu quero que os senhores comparem a assinatura desta agenda com a assinatura do doutor Bartholomew Flanagan, que veio neste fax. Vejam! São duas assinaturas completamente diferentes!

Andrade, o diretor e Patrick Lockwood fizeram a comparação.

— Verdade, Magrí! — concordou Andrade. — Uma nada tem a ver com a outra!

Miguel levantou-se:

— Magrí, o que você quer dizer com isso?

— Quero dizer que o homem que veio naquele voo, e que foi sequestrado no aeroporto *não era* o doutor Bartholomew Flanagan!

Hector Morales pulou da cadeira:

— Quer dizer... quer dizer que os sequestradores levaram o homem errado?

— O senhor devia saber, doutor Morales — respondeu Magrí. — O senhor não disse que conhecia o doutor Flanagan há anos?

— Bem, eu falei com ele por *e-mail*, telefone e fax durante quase dez anos. Pessoalmente, eu nunca o vi, mas o conhecia muito bem por fotografias. Acho que eu não poderia me enganar...

O diretor deu sua opinião:

— Bem, se a pessoa que estava no lugar do doutor Flanagan fosse muito parecida com ele, talvez qualquer um pudesse se enganar. Mas a questão é: por que alguém ia fazer-se passar pelo doutor Bartholomew Flanagan?

— Isso eu não sei — retomou Magrí. — Mas agora tenho certeza de que alguém veio dos Estados Unidos no lugar do verdadeiro doutor Flanagan. E acho que essa pessoa veio sabendo que ia ser sequestrada. Veio para fazer parte de uma encenação!

Andrade não acreditava no que estava ouvindo:

— Que absurdo é esse, Magrí?

— Meu palpite, Andrade, é que esse sequestro foi uma armação. Mas eu não tenho nada para provar essa tese, nem um palpite sobre o motivo de alguém pensar em encenar o sequestro do doutor Bartholomew Flanagan. Mas, agora, eu já sei *por que* dona Iolanda foi baleada. E, sabendo disso, descobri *quem* é o chefe da trama toda...

Durante o silêncio que se seguiu, Magrí passeou os olhos calmamente em torno da sala, até parar no rosto do doutor Hector Morales.

— Quem encenou esse sequestro e quem mandou atirar na minha professora foi o senhor, não foi, doutor Hector Morales?

O americano de cabelo liso sorria e balançava a cabeça.

— *My God!* Eu não sabia que os jovens brasileiros tinham tanta imaginação!

— Imaginação, doutor Morales? — continuava Magrí. — Por que somente dona Iolanda foi baleada no aeroporto? Por que roubaram a minha bolsa na confusão? Eu consegui ver a minha professora no hospital, antes de a sequestrarem. Ela estava lá, superficialmente ferida, mas dopada. Por ordem de quem a doparam? O senhor não me disse, lá na sala da Polícia Federal, no aeroporto, que eu podia ficar tranquila, que a Drug Enforcement cuidaria de dona Iolanda? Pois vocês cuidaram mesmo, não é? Mandaram uma falsa equipe médica que assumiu o tratamento dela e a manteve sob anestésicos sem que ninguém do hospital pudesse entrar no quarto!

— *Bullshit!* Garanto que...

Magrí não o deixou continuar.

— Eu tirei o anestésico do braço dela e consegui fazê-la voltar a si. E ela ainda pôde dizer: "Ele... ele mandou atirar em mim!" Foi o senhor quem mandou atirar na minha professora, doutor Morales!

— *Nonsense!* Por que eu quereria matá-la?

— Por causa do autógrafo. O senhor sabia que o sósia que veio no lugar do doutor Bartholomew Flanagan, um idiota, provavelmente, assinara qualquer coisa na agenda de dona Iolanda. O senhor mandou baleá-la, doutor Morales, e mandou roubar-lhe a bolsa com a agenda, para que ninguém viesse a descobrir que aquela não era a assinatura do verdadeiro doutor Flanagan. Felizmente seus capangas confundiram as bolsas e levaram a minha no lugar da dela!

A intérprete, como uma metralhadora, traduzia tudo para Patrick Lockwood. O agente americano, ao ouvir a tradução, apontou para a menina e perguntou:

— *Who's that little woman? Supergirl?*[17]

Crânio respondeu, com orgulho:

— *She's our Wonderwoman, mister Lockwood!*[18]

---

[17] — Quem é essa jovem? A Supergarota?

[18] — Ela é nossa Mulher-Maravilha, senhor Lockwood!

Iúri Mikhailevich já tinha desistido de tentar entender qualquer coisa.

Hector Morales continuava controlado, com um sorriso superior:

— Ora, ora, menina! Mais uma vez só temos a sua palavra. Quem mais ouviu essa acusação de sua professora? Só você? Quem pode confirmar essa suposta declaração?

Nesse momento, a porta da sala de interrogatórios abriu-se num tranco.

— Eu posso! — disse o anão, de pé, na soleira da porta.

A intérprete deu um grito.

Aquela era a aparição mais horrenda daquela noite, desde que tinham descoberto o plano antropofágico do Doutor Q.I.

Um anão horrendo mesmo. Sua face deformada torcia-se num sorriso que escancarava lábios grossos e maus.

— O anão! — gritou Crânio. — Foi ele que eu vi! Ele está envolvido nisso até o pescoço! Prenda esse anão, detetive Andrade!

— Deixe de besteira, Crânio!

Quem falara fora o anão.

Ante a surpresa de todos, a feia criatura levou a mão ao pescoço. Cuidadosamente, começou a arrancar a pele, a puxar, até que toda a carantonha horrível saiu por cima da cabeça, levando junto o chapéu e o cabelo ensebado!

— Chumbinho! — gritou Andrade.

— Eu mesmo! — riu-se o menino, com a cara mais marota do mundo. — Eu mesmo, Crânio. Ah, ah! Te enganei, geninho! Eu acompanhei vocês esse tempo todo, sem que ninguém notasse! Está vendo, Calu? Aprendi esse truque com você. Gostou da maquilagem?

— Chumbinho, mas... — Andrade estava zonzo. — O que está acontecendo? Você não tinha sido sequestrado?

Magrí levantou os braços, pedindo um pouco de ordem na balbúrdia provocada pelo aparecimento daquele "anão".

— Esperem um pouco! Acho que aprendi com o doutor Morales a simular sequestros. Desculpe, Miguel. Desculpe, Crânio. Desculpe, Calu. Mas foi a única maneira que eu e Chumbinho encontramos para fazer vocês três mudarem de ideia...

— Mudar de ideia? — Andrade entendia cada vez menos. — Que ideia?

Miguel sorria, surpreso e orgulhoso da iniciativa daqueles dois Karas:

— Não ligue, Andrade. É uma coisa entre nós. Muito bem, Magrí. Parabéns, Chumbinho. Vocês fizeram a coisa certa!

Chumbinho exultava:

— Eu estava ótimo de anão, não estava? Eu tinha de me disfarçar, para continuar na brincadeira!

— Brincadeira?! — espantou-se o diretor da penitenciária. — Você chama isso de brincadeira?

— Que graça teria eu ficar "sequestrado" e escondido como um bobo o tempo todo? Ah, eu precisava acompanhar vocês, ficar sabendo de tudo o que acontecia. Só mesmo disfarçado, né?

Magrí erguia novamente o braço e exigia que a discussão voltasse ao ponto em que tinha sido interrompida.

— Um momento! Falta ainda resolver dois sequestros. O de dona Iolanda e o do doutor Bartholomew Flanagan!

Chumbinho ria-se, feliz:

— Só o do doutor Flanagan, Magrí. O da professora já está resolvido.

— Resolvido? — perguntou Hector Morales. — E onde está ela?

— Está lá em casa. Muito bem de saúde, aliás... — informou Chumbinho, fazendo uma cara de quem fala a coisa mais natural do mundo.

— Na *sua* casa?! — berrou Andrade. — Mas o que aconteceu? Vocês também simularam o sequestro da professora?

— Esse não — continuou Chumbinho. — Eu estava escondido na viela, atrás do hospital, quando Magrí saiu para encontrar-se com Crânio. Estava muito quietinho dentro de uma caixa de papelão...

"Ai, ele estava lá! Então ele ouviu tudo! Eu e Crânio! Chumbinho sabe de nós dois!", pensou a menina, olhando disfarçadamente para o geninho dos Karas.

Crânio estava vermelho como um tomate.

— Vocês saíram no fusquinha e eu vi que alguma coisa estranha estava acontecendo no hospital. Os bandidos devem ter descoberto que Magrí tinha trocado o frasco que mantinha dona Iolanda desacordada, e eu ouvi que eles iam levá-la dali. Não perdi tempo e me meti no porta-malas do carro. Antes, é claro, dei um jeito de amarrar o fecho com um pano, para poder sair dali quando eu quisesse...

— Boa, Chumbinho! — aplaudiu Magrí.

— O carro rodou bastante e foi parar em um galpão, na periferia da cidade. Eu saí do porta-malas e telefonei para Magrí, de um orelhão. Depois, foi só voltar para lá e esperar. Deixaram só um gorila tomando conta da professora. Bom, eu já tinha visto ele fazer xixi lá na viela. Mas, como ele tinha mais necessidades fisiológicas a aliviar, acabou saindo para um banheiro externo. Eu aproveitei e fui lá dentro, com o meu canivetinho, cortar as cordas que prendiam dona Iolanda...

— Que coragem, Chumbinho! — admirava-se Andrade. — Mas como vocês fugiram de lá?

— De táxi, é claro!

Hector Morales estava de pé. Toda sua segurança e autoconfiança pareciam ter desaparecido.

Chumbinho, sorrindo como se estivesse contando uma travessura, olhou o presidente da Drug Enforcement Inc. na América Latina.

— Por isso eu posso confirmar o que Magrí estava dizendo agora mesmo. Dona Iolanda me contou que, no aeroporto, quem apontou para ela ordenando que o capanga atirasse foi o senhor, doutor Hector Morales!

Andrade levantou-se e olhou aliviado para o diretor da penitenciária:

— Que sorte, diretor. Não precisamos levar esse sujeito para a cadeia. Ele *já está* na cadeia!

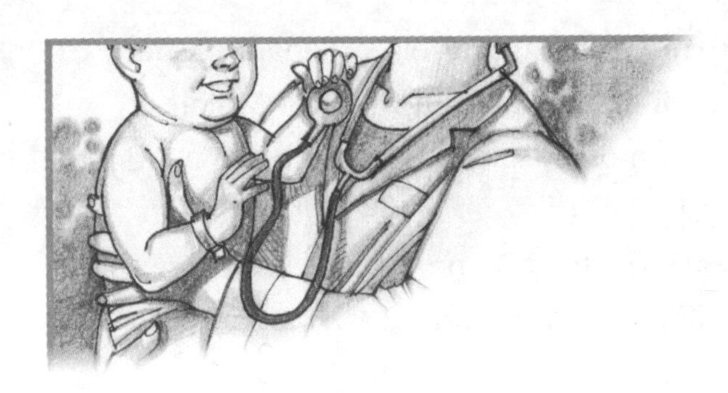

22. O amor pode mudar o mundo

Ao entardecer do dia seguinte, Andrade foi encontrar os cinco Karas no Parque do Ibirapuera. Sentaram-se no mesmo banco em frente à moita de azaleias.

O sol queimava, e o detetive comprou sorvetes para todos.

— Bem, meninos, o dia de hoje bastou para resolvermos todos os detalhes desse caso. Nós, aqui no Brasil, e o FBI, nos Estados Unidos, conseguimos descobrir tudo o que aconteceu...

— Ótimo! — aplaudiu Chumbinho. — Tudo resolvido? Encontraram também as amostras da Droga do Amor?

Andrade olhou para o menino. Aquele menino brilhante, que tirara sozinho dona Iolanda das mãos dos sequestradores. Mas não conseguiu sorrir.

— O que houve, Andrade? — perguntou Calu. — Você não parece muito feliz com a solução do caso da Droga do Amor...

O detetive tomou fôlego e disse depressa a pior parte das revelações que tinha a fazer:

— A Droga do Amor nunca existiu, meninos!

— O quê?! O que você está dizendo?

— Espere um pouco, Magrí. Deixe eu contar tudo desde o começo. O doutor Bartholomew Flanagan, chefiando a equipe de pesquisadores da Drug Enforcement, acreditava realmente estar numa pista muito segura para a criação de um soro que curasse a maldita praga que faz com que o amor entre as pessoas transforme-se em morte. Mas as pesquisas eram muito caras, envolvendo engenharia genética e tudo o mais. Com os primeiros estudos do doutor Flanagan, a Drug Enforcement conseguiu enormes financiamentos de todo o mundo... bilhões e bilhões de dólares... Só que, no fim, o soro falhou.

— A Droga do Amor falhou?!

— Não deu certo. Os testes *in vitro*, em laboratório, estavam apresentando bons resultados, mas não provocaram nenhuma imunidade quando aplicados em seres humanos. E a Drug Enforcement estava atolada até o pescoço em dívidas. O que ia dizer aos acionistas? Como justificar esse imenso fracasso aos financiadores de todo o mundo?

— O que era um problema de amor tornou-se um problema financeiro... — observou Miguel.

— A diretoria então tentou convencer o doutor Bartholomew Flanagan a continuar defendendo o soro nas revistas médicas, alegando sua validade. A Drug Enforcement estaria falida se ele confessasse o fracasso. Mas o doutor Flanagan não concordou com essa farsa e ameaçou convocar a imprensa e falar a verdade.

— Que verdade horrível! — lamentou Magrí.

— Os diretores da Drug Enforcement decidiram então organizar a farsa completa. Escolheram o Brasil para os supostos testes finais da Droga do Amor e desembarcaram aqui um sósia do doutor Flanagan e uma caixa de frascos cheios de água!

Dos olhos de Magrí, duas lágrimas escorreram, queimando-lhe o rosto. Naquele momento, ela se lembrou da criancinha que vira no hospital...

— O plano era simular o sequestro do falso cientista e o roubo das falsas amostras. Se tudo desse certo, o tal sósia do cientista nunca mais apareceria e nunca mais se saberia da caixa roubada. Assim, eles teriam uma ótima desculpa para o desperdício dos bilhões de dólares, que acabariam sendo cobertos pelas companhias seguradoras. E esperavam até mesmo conseguir novos financiamentos, para tentar retomar os estudos do doutor Bartholomew Flanagan. Escolheram o Brasil, por pensar que aqui seria mais fácil realizar um crime. Não acreditavam em nossa polícia, nem em nossa capacidade de organização. Mas eles não contavam que houvesse uma pessoa no avião que pediria um autógrafo ao falso cientista e estragaria tudo. Não contavam também, é claro, com a esperteza e a teimosia da Magrí...

O elogio não mudou a expressão da menina. Aquela mentira a deixara arrasada.

— Hector Morales era o encarregado de fazer funcionar o esquema aqui no Brasil — continuou Andrade. — Quando desembarcou, mandou um dos capangas atirar em dona Iolanda e mandou que alguém lhe roubasse a bolsa que continha a agenda com o autógrafo do farsante. Morales está agora preso, e vai responder pelo sequestro de dona Iolanda e pelo falso sequestro do cientista. Já capturamos também o tal sósia, que estava tentando fugir pelo Paraguai com nome falso...

— E o que houve com o verdadeiro doutor Flanagan?

— Ele não quis colaborar, Miguel. Por isso, foi assassinado um dia antes de embarcar... Já descobriram o corpo dele no fundo do mar, em Tampa Bay, com os pés presos em um bloco de concreto...

— Que horror!

— O FBI está trabalhando nos Estados Unidos para punir os culpados por essa barbaridade. Mas quem são esses culpados? Somente os diretores dessa multinacional? Mas quem é realmente culpado pelos crimes praticados por uma grande empresa? Será que não somos todos culpados, quando colocamos a ânsia pelo lucro à frente das necessidades das pessoas? A quem podemos responsabilizar realmente pelo crime? Por todos os crimes do mundo?

No dia seguinte, quando o mundo inteiro ficasse sabendo que a Droga do Amor era uma farsa, a tristeza e a decepção tomariam conta de todos. Mas, naquele momento, só aqueles seis amigos sentiam a dor que haveria de tomar conta do planeta...

Magrí não se conformava:

— Ah, Andrade, todo esse esforço para nada! Eu não queria só vingar minha professora baleada. Eu não queria só brincar de detetive, descobrindo sequestradores! Eu queria realmente que todo esse trabalho tivesse sentido! Eu queria a Droga do Amor! Para salvar a vida da criancinha que eu vi no hospital! Eu queria salvar a vida das pessoas condenadas somente porque confiaram no amor!

Andrade também chorava. Abraçou Magrí apertado, beijando-lhe o rosto várias vezes, bebendo as lágrimas daquela pequena heroína.

— Ah, Magrí, o seu trabalho teve o maior sentido, minha querida! Você lutou por amor! Por amor a sua professora, por amor a todas as pessoas do mundo. É isso que faz com que esse mundo valha a pena, querida! São pessoas como você que fazem a gente continuar em frente, com confiança. A ciência encontrará a verdadeira Droga do Amor mais dia, menos dia. E o seu amor pela humanidade fará parte da fórmula. O seu amor pode mudar o mundo, Magrí, minha menina!

Durante longo tempo, os ânimos daqueles seis amigos calaram-se, tentando recuperar-se. E foi a força da amizade que os unia que, pouco a pouco, os acalmou.

Calu quebrou o silêncio:

— Temos de confiar! A praga do século será vencida!

Andrade acariciou os cabelos lindos de Calu.

— A praga do nosso século não é uma só, meninos. Nosso século, infelizmente, tem muitas pragas. A fome, a miséria, a ignorância... Mas tudo isso é causado pela cobiça, pela avidez que cria monstros como esses da Drug Enforcement, ou como o Doutor Q.I., para quem a conquista do poder e do dinheiro justifica tudo. Eu vivo prendendo criminosos pobres, ignorantes, que matam uma, duas, três pessoas. Mas jamais consigo pôr as mãos nesses verdadeiros criminosos, que matam milhares, que condenam milhões à fome e à morte sem esperanças...

* * *

Antes de ir para o Colégio Elite, Magrí passou pelo hospital onde estivera dona Iolanda.

Pediu para fazer uma visita à ala de isolamento infantil.

Subiu para o quinto andar, dessa vez de elevador, e entrou no quarto onde se escondera dois dias atrás.

Lá estava o bercinho. Lá estava a criança que ela vira adormecida. Cuidada por uma enfermeira sorridente.

— Ele está melhorzinho... — comunicou a enfermeira.

O bebê estava sentado no berço, sorrindo para Magrí.

A menina aproximou-se, beijou-o ternamente e entregou-lhe o seu querido ursinho de pelúcia. Era o presente mais pessoal que ela poderia ter trazido.

A criança sorriu mais ainda e abraçou-se ao ursinho.

— Você vai ficar bom, meu queridinho! Eu sei que vai! Você *tem* de viver! O amor vai vencer o ódio, meu amorzinho. Nós vamos vencer a morte!

* * *

Magrí foi a última a subir para o esconderijo secreto. Os outros quatro Karas já estavam lá, sentados, em silêncio.

Miguel, que já telefonara para a sede do tal acampamento, desistindo da vaga de monitor, perguntou, com um sorriso:

— Por que vocês inventaram de assinar o tal bilhete de resgate com aquele "Q.I."? Isso fez com que eu, Crânio e Calu ficássemos com a certeza de que ele era o culpado de tudo!

— Naquela hora, eu e Chumbinho também achávamos que o Doutor Q.I. estava por trás de tudo. Desculpem... A gente errou...

Aquela menina, responsável por desvendar uma trama cruel como aquela, admitia que estivera errada. Em apenas um ponto que fosse. Ela era um Kara.

O silêncio ocupou novamente o forro do vestiário.

Magrí olhou um por um. Os *seus* Karas!

Ela havia convocado a reunião. Ela teria de começar a falar.

— Eu pensei muito, Karas, depois que Chumbinho me contou que vocês três queriam dissolver a nossa turma. Chumbinho não entendia por quê, mas eu entendi...

Ninguém falou. Só Chumbinho olhava para Magrí. Os outros três concentravam-se no pó que recobria o forro do vestiário do Colégio Elite.

— Nós chegamos a um beco sem saída, não é? Pois bem, vamos resolver logo isso.

Olhava fixamente para cada um dos seus queridos Calu, Crânio e Miguel.

Seu olhar encontrou o de Chumbinho. O menino agora era dono de um segredo seu. O seu maior segredo. Mas Magrí sabia que Chumbinho nunca, nunca falaria.

Como era bom, como era gostoso viver gostando daqueles amigos! Apesar da dificuldade da situação, apesar de tudo o que tinha de dizer, Magrí sentia-se bem, aquecida, confortável, pela proximidade daqueles garotos maravilhosos.

— Pensei muito, queridos, chorei muito pensando. O que seria uma solução final para o nosso problema? Seria uma escolha minha? Uma decisão?

A emoção enchia-lhe os olhos de lágrimas.

Ninguém movia um músculo e Magrí pediu:

— Olhem para mim, por favor, olhem para mim!

Um a um, aqueles rostos foram se levantando. Todos aqueles olhos estavam vermelhos. Todos estavam a ponto de chorar também. Magrí leu naqueles olhos um pouco de esperança, mas leu também um pouco de medo.

— Como eu posso escolher, queridos? Eu coloquei na balança dos meus pensamentos, de um lado, a escolha que eu tinha de fazer. Do outro, essa incrível amizade que une a gente. Agora me digam, qual de vocês acharia justo ferir os outros dois se eu escolhesse um de vocês? Qual de vocês, por uma namorada, acharia justo destruir a turma dos Karas?

Nesse momento, as lágrimas já corriam por todos os rostos.

Molhados, os rostos de Miguel, de Calu e de Crânio iluminavam-se aos poucos. Eles começavam a entender.

— Será que o meu amor de mulher por um de vocês pode ser maior do que o amor de ser humano que eu tenho por *todos* vocês? Por você Miguel, por você Chumbinho, por você Calu, por você Crânio? O que pode haver de maior do que nós cinco?

A excitação era imensa. Os cinco Karas olhavam-se sem falar, respirando ruidosamente, arfando, como se tivessem acabado de disputar uma maratona.

Num repente, jogaram-se nos braços uns dos outros, soluçando e formando uma montanha de afeto, de carinho, de paixão!

Magrí sentia aqueles corpos espremidos contra o seu.

De olhinhos fechados, sabia distinguir o calor do seu escolhido.

Mas aquela amizade era demais. Os Karas eram demais! Não seria uma escolha dela que haveria de dissolver a amizade dos Karas. O amor que unia aqueles cinco era maior do que o amor daqueles três garotos maravilhados por ela. Era maior do que o seu amor pelo garoto que a fazia tremer como mulher.

Ela já tinha escolhido. Para sempre, seu coração guardaria aquele segredo. A amizade vencera o amor.

Os Karas nunca, nunca se separariam...

© EDUARDO SANTALIESTRA

Meu nome é Pedro Bandeira. Nasci em Santos em 1942 e mudei-me para São Paulo em 1961. Cursei Ciências Sociais e desenvolvi diversas atividades, do teatro à publicidade e ao jornalismo. A partir de 1972, comecei a publicar pequenas histórias para crianças em publicações de banca, até, desde 1983, passar a dedicar-me totalmente à literatura para crianças e adolescentes. Sou casado, tenho três filhos e uma porção de netinhos.

O livro *A droga do amor* foi escrito justamente para falar do amor que existe entre vocês, meus jovens leitores, que adoram suas "turminhas", suas "patotas", que se apoiam no amor mútuo para, juntos, enfrentar os desafios do mundo adulto.

Muita gente me pergunta por que os meus Karas são jovens sem problemas financeiros ou sociais, por que são tão perfeitos. E minha resposta é sempre esta: porque eles são o meu sonho. É assim que eu imagino que todos os jovens deveriam poder ser, em todo o mundo — sem problemas financeiros, inteligentes, sadios, honestos, conscientes, corajosos, estudando em boas escolas, tendo recursos e oportunidades para lazer, esportes, cultura e, principalmente, ligados no mundo, sempre prontos a defender a verdade, o amor, a justiça e a igualdade.

Ao longo de suas vidas, por favor, nunca se esqueçam do valor dessa amizade da adolescência. A força, a confiança, a honestidade e o entusiasmo que hoje moram no coração de vocês são combustível suficiente para durar por toda a vida. Não deixem jamais que essa chama se apague.

Como Miguel, Magrí, Crânio, Calu e Chumbinho, sejam para sempre... um Kara!